もくじ

● この本に載っているできごとの範囲と、国や組織などの呼び方について
・この本は原則として2024年1月末までのニュースに基づきます。ただし、一部は3月下旬までの動きを踏まえている場合があります。
・人名や国・組織などの呼び方は、日本の新聞やテレビで日ごろ使われている呼び方にならっています。ただし、報道機関によって呼び方が異なる場合は、毎日新聞の表記にならっています。一部の用語はそのページで初めに出てきた時に限り正式名称を使っている場合があります（例：内閣総理大臣）。海外のできごとの日付は、現地時間に基づいて表記しています。
● この本に載っている写真や図表、イラスト、漫画などの著作権は、特に記載のない限り、朝日新聞社、毎日教育総合研究所、毎日新聞社に帰属します。

ニュース時事能力検定(N検)とは

今の時代を生きるために欠かせない、ニュースを読み解き、活用するチカラをつける検定です。

ニュース時事能力検定(ニュース検定、N検)は、新聞やテレビのニュース報道を読み解き、活用する力「時事力」を養い、認定する検定です。時事力とは、現代社会のできごとを多角的・公正に理解・判断し、その課題をみんなで解決していく礎となる総合的な力(知識、思考力、判断力など)です。大きく変動し、先行き不透明な時代に、人生を切り開くために不可欠な力です。

志願者数 59万人
※2023年12月現在までの累計

ニュース検定の公式サイト
https://www.newskentei.jp/

■ 受検級のめやす　※詳しくは公式サイトに掲載しています。

級	5級	4級	3級	準2級	2級	1級
対象	小学生	中学生	高校生	大学生・一般		

■ 検定料　※全て税込み

	1級	2級	準2級	3級	4級	5級
	7,400円	5,300円	4,300円	3,800円	3,300円	3,200円

合格のめやす

100点満点中	
1級	80点程度
2～5級	70点程度

この本の仕組みと使い方　5級を目指すみなさんへ

2024年度のニュース検定5級で出る問題(全45問)のうち約6割は、この本の中にある「ここが大切 基本のことば」「N検にチャレンジ! 練習問題」から出題されます(「練習問題」からの出題は、全く同じ問題とは限りません。似ている問題も含みます)。この本にじっくり取り組めば、もう合格は目の前に。5級に受かったら、さらに上の級を目指しましょう。

基本のことば
そのテーマのポイントです。これを頭に入れて、練習問題に挑戦しましょう。

確認テスト
そのテーマに関する基本的なことばを確認できます。

写真や図版
問題を解くうえで参考になる写真や地図、グラフを載せています。本番の検定問題でも、写真や地図、グラフを参考にして解く問題が出されます。

練習問題
四つの選択肢から一つを選ぶ方式で、検定本番と同じです。力試しをして、本番に備えましょう。

正解と解説
コンパクトな「正解と解説」を用意しました。解説にも目を通して理解を深めましょう。

■本番の5級の検定問題は、四つの選択肢から一つを選ぶ択一式で、マークシートを使って答えます(50分で45問を解きます)。この本にある「確認テスト」のような記述式問題は出題されません。また、原則として全ての漢字にふりがなを振っています。
■この本には、実際の検定問題の例(2023年6月分)も載せています。巻末にあるマークシートも使って、本番前に慣れておきましょう。

1 日本の国土と農林漁業

▲ 広大な庄内平野の田植え風景

経済

Step 1　ここが大切 | 基本のことば

◎ 平野に多い「米どころ」

　日本は海に囲まれ、山や森が多い島国です。国土の約4分の3は山地（丘陵を含む）で、残る約4分の1の平地に人口や産業が集まっています。平地のうち、標高が低く海に面した平野には、稲作（米づくり）地帯が多いです。代表例は庄内平野（山形県）などです。

　山からわき出す川は外国と比べて短く、流れが急です。南北に細長い国土の中央に山脈が背骨のようにそびえ、山から海までの距離が短いためです。

◎ 農林業を営む人が減っている

　日本では農業を営む人が減り、農地（田んぼや畑など）が使われずにたくさん余っています。国は農業を再び盛んにするため、広い農地を耕す力のある農家を増やそうとしています。また、日本の国土の約3分の2は森林ですが、林業は外国からの輸入木材におされて営む人が減り、衰えてきました。しかし、国産木材の良さを見直そうという動きがあります。

◎ リアス（式）海岸では養殖漁業

　海に囲まれた日本にとって、漁業は大事な産業の一つです。例えば、多くの狭い湾が入り組むリアス（式）海岸では、養殖漁業（養殖業）が盛んです。三陸海岸の南部（岩手県、宮城県）や若狭湾（福井県、京都府）、志摩半島（三重県）が代表例です。

　三陸海岸の沖合では、太平洋側の寒流（親潮＝千島海流）と暖流（黒潮＝日本海流）が出合います。この潮目（潮境）にはさまざまな魚が集まり、良い漁場となっています。

Step 2　わかるかな？ | 確認テスト

☞ 正答例は56分

★ 日本の国土面積の約4分の3は、（①　　　　　　　　　）が占めています。
★ 平地のうち、海に面した平野には（②　　　　　　　）づくりが盛んな地域が多いです。
★ 日本列島の川は外国と比べて短く、流れが（③　　　　　　　　）です。
★ （④　　　　　　　）を営む人が減り、農地が使われずにたくさん余っています。
★ 輸入木材におされ（⑤　　　　　　　）は衰えてきましたが、国産を見直す動きもあります。
★ 多くの狭い湾が入り組む「（⑥　　　　　　　）海岸」では、養殖漁業が盛んです。

全国の主な特産品

（たくさんとれる農水産物や全国的に有名な加工食品などの例です。それぞれの都道府県には、ほかにも多くの特産品があります）

米づくりが盛んな地域 ＝収穫量（2023年産）トップ5

（カッコ内は主な銘柄の例）

① **新潟県**（コシヒカリ、こしいぶき）
② **北海道**（ななつぼし、ゆめぴりか）
③ **秋田県**（あきたこまち）
④ **山形県**（つや姫、はえぬき）
⑤ **宮城県**（ひとめぼれ、ササニシキ）

※収穫量の順位は、農林水産省「作物統計調査」を基に作成

農林水産物や食品の輸出が増え続けているよ。2023年の輸出額は11年連続して過去最高で、2021年以降は1兆円を超えている。海外の和食ブームも背景に、緑茶やブリ、国産のビールなどの人気が高いそうだよ。国はさらに輸出を増やす計画だ。

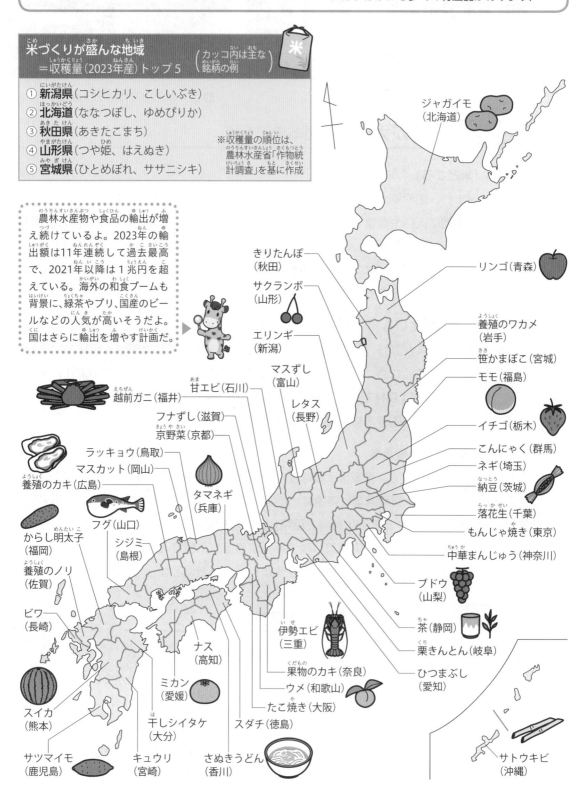

ジャガイモ（北海道）

リンゴ（青森）

きりたんぽ（秋田）

サクランボ（山形）

養殖のワカメ（岩手）

エリンギ（新潟）

笹かまぼこ（宮城）

モモ（福島）

マスずし（富山）

イチゴ（栃木）

甘エビ（石川）

レタス（長野）

こんにゃく（群馬）

越前ガニ（福井）

ネギ（埼玉）

フナずし（滋賀）

納豆（茨城）

京野菜（京都）

落花生（千葉）

ラッキョウ（鳥取）

もんじゃ焼き（東京）

マスカット（岡山）

中華まんじゅう（神奈川）

養殖のカキ（広島）

タマネギ（兵庫）

ブドウ（山梨）

からし明太子（福岡）

フグ（山口）

シジミ（島根）

茶（静岡）

養殖のノリ（佐賀）

伊勢エビ（三重）

栗きんとん（岐阜）

ビワ（長崎）

ナス（高知）

果物のカキ（奈良）

ひつまぶし（愛知）

ウメ（和歌山）

ミカン（愛媛）

たこ焼き（大阪）

スイカ（熊本）

干しシイタケ（大分）

スダチ（徳島）

サツマイモ（鹿児島）

キュウリ（宮崎）

さぬきうどん（香川）

サトウキビ（沖縄）

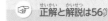

1 日本列島は南北に長いので、例えばサクラ＝写真＝が咲く時期は同じ日本でも地域によって違います。その理由として正しい説明を、①〜④から一つ選びなさい。

① 暖かくなった地域から先に咲くから。
② 種をまく時期が、地域によって違うから。
③ 雨が多く降る地域は、遅く咲くから。
④ 人が多く住んでいる地域から先に咲くから。

2 日本の近海には、寒流と暖流が流れています。太平洋側の寒流は【 A 】（千島海流）、暖流は黒潮（日本海流）と呼ばれます。寒流と暖流が出合うところを【 B 】といいます。【 A 】【 B 】に当てはまる言葉の正しい組み合わせを、①〜④から一つ選びなさい。

① A－赤潮　　B－プレート　　② A－高潮　　B－干潟
③ A－満潮　　B－カルデラ　　④ A－親潮　　B－潮目（潮境）

3 次の地図の丸印は「リアス（式）海岸」の例です。リアス（式）海岸について、正しい説明を①〜④から一つ選びなさい。

① 砂丘が広がっている。
② 小石や砂がたい積してできた。
③ 多くの狭い湾が入り組んでいる。
④ 漁場には適していない。

丸印は三陸海岸の南部

4 日本の川は外国の川と比べて【 A 】、流れが急です。川がわき出す山から、海までの距離が短いためです。日本一長い【 B 】（長野県、新潟県）は367キロメートルですが、アフリカのナイル川の数％しかありません。【 A 】【 B 】に当てはまる言葉の正しい組み合わせを、①〜④から一つ選びなさい。

① A－短く　　B－石狩川　　② A－短く　　B－信濃川
③ A－長く　　B－石狩川　　④ A－長く　　B－信濃川

経済

★次の文章を読んで、問5、6に答えなさい。

日本の森林は国土の約3分の2を占めています。しかし、外国の木材が安く輸入されるようになって、日本の林業は衰えてきました。このため人が植えた後、大きく育って密生した木の一部を切る【　　】などの手入れがおろそかになり、荒れてしまった森林もあります。しかし、生物や環境のためになる (ア) 森林の働きや、国産の木材を利用することの大切さを見直す動きがあります。

5 【　　】に当てはまる言葉を、①～④から一つ選びなさい。

① 間伐　　② 焼き畑　　③ 接ぎ木　　④ 植林

6 下線部（ア）の森林の働きとして正しい説明を、①～④から一つ選びなさい。

① 川底の土砂を運び、三角州などの地形を作る。
② 多くの植物を育み、さまざまな動物のすみかになっている。
③ 森林から流れる水が、全国各地で海や川を汚している。
④ 大量の二酸化炭素を出し、地球温暖化の原因になっている。

7 「地元で生産された農産物や水産物を、その地域で消費しよう」という取り組みは、何と呼ばれますか。正しい言葉を、①～④から一つ選びなさい。

① 養殖　　② 二毛作　　③ 地産地消　　④ 促成栽培

8 群馬県や長野県などの標高の高い土地では、夏でも涼しい気候を生かした野菜作りが盛んです。こうした野菜の例に当てはまらないものを、①～④から一つ選びなさい。

① ハクサイ　　② レタス　　③ キャベツ　　④ ゴーヤー（ニガウリ）

9 日本の国土は約4分の3を【　A　】が占め、多くの人は残る約4分の1の「平地」に暮らしています。平地のうち、海に面した【　B　】には稲作が盛んな地域が多く、代表例は庄内【　B　】（山形県）です。【　A　】【　B　】に当てはまる言葉の正しい組み合わせを、①～④から一つ選びなさい。

① A－山地　　B－高地　　　② A－山地　　B－平野
③ A－盆地　　B－高地　　　④ A－盆地　　B－平野

2 暮らしを支える工業

🔵 日本経済を支える自動車工場の製造ライン

 Step 1 ここが大切 ｜ 基本のことば

◎ **日本を代表する自動車工業**

　工業とは、原材料を工場で加工して製品を作る仕事です。「製造業」もほぼ同じ意味です。自動車工業は、日本経済を支える代表的な産業です。日本の自動車の生産額は世界トップクラスです。自動車は約３万個もの部品からなり、部品工場がたくさんあります。自動車販売などに関する動きがよくニュースで取り上げられるのは、国内の多くの会社に影響するからです。

　世界では環境にやさしい車の開発が進んでいます。例えば電気自動車（ＥＶ）や燃料電池自動車はガソリンなどを燃やすエンジンではなくモーターで走るため、排ガスを出しません。

◎ **工業生産額のトップは中京工業地帯**

　日本では、工業の生産額の７割強を**重化学工業**が占めます。工業の中心はかつて、繊維などの軽工業でしたが、第二次世界大戦後、重化学工業に移ってきました。

●**重化学工業**（素材や機械を作る）……金属工業、機械工業、化学工業
●**軽工業**（身近な生活用品を作る）……繊維工業、食料品工業、その他の工業

　関東地方の南部から九州地方北部にかけて、工業地帯・地域が主に太平洋沿いに並んでいます。**太平洋ベルト地帯**といいます。海沿いの地域は原料の輸入や製品の輸出に便利です。愛知県を中心とする**中京工業地帯**の生産額は全国一で、自動車を中心とする**機械工業**が盛んです。

　日本には**焼き物、織物**などを作る**伝統工芸**がありますが、後を継ぐ人が少ないという課題があります。国は伝統技術による主に手作りのものを守るため、**伝統的工芸品**を指定しています。

 Step 2 わかるかな？ ｜ 確認テスト　　　　☞ 正答例は56㌻

★（①　　　　　　　）工業は日本の代表的な産業で、多くの（①）が海外へ輸出されています。世界のメーカーは、（②　　　　　　　）にやさしい電気（①）などの開発を進めています。

★工業は、繊維などの「（③　　　　　　　）工業」と、機械などの「（④　　　　　　　）工業」に分類されます。日本の工業の中心は、（③）工業から（④）工業へと移ってきました。

★関東地方南部から九州地方北部へと続く工業地帯・地域を「（⑤　　　　　　　）ベルト地帯」といいます。生産額が全国一多いのは、愛知県などの（⑥　　　　　　　）工業地帯です。

正解と解説は56ページ

☐☐ **1** 原材料を加工して製品を作り出す産業を工業といい、【　　　】とも呼ばれます。【　　　】に当てはまる言葉とその具体例の正しい組み合わせを①～④から一つ選びなさい。

① 製造業－自動車を作る
② 製造業－ホテルや旅館を経営する
③ サービス業－コンビニエンスストアを経営する
④ サービス業－魚や貝を養殖する

☐☐ **2** 工業には次のような種類があります。【　Ａ　】～【　Ｃ　】に当てはまる言葉の正しい組み合わせを、①～④から一つ選びなさい。

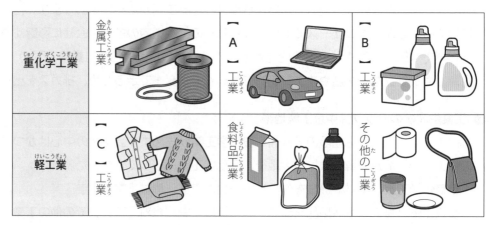

① Ａ－機械　　Ｂ－繊維　　Ｃ－化学
② Ａ－機械　　Ｂ－化学　　Ｃ－繊維
③ Ａ－化学　　Ｂ－機械　　Ｃ－繊維
④ Ａ－繊維　　Ｂ－化学　　Ｃ－機械

☐☐ **3** 世界の自動車メーカーは、環境にやさしい車の開発を競い合っています。その例として正しいものを、①～④から一つ選びなさい。

① 電気でモーターを回して走る車
② ガソリンエンジンだけで走る車
③ ディーゼルエンジンだけで走る車
④ リニアモーターを使い、車体を浮かせて走る車

4 関東地方の南部から九州地方の北部にかけて、主に【　A　】側の海沿いに工業地帯・地域が帯のように並んでいます。これを「【　A　】ベルト地帯」といいます。このうち生産額が最も高いのは、【　B　】工業地帯です。【　A　】【　B　】に当てはまる言葉の正しい組み合わせを、①～④から一つ選びなさい。

① A－太平洋　　B－中京
② A－太平洋　　B－北九州
③ A－日本海　　B－中京
④ A－日本海　　B－北九州

5 日本はかつて軽工業が盛んでしたが、第二次世界大戦後、工業の中心は重化学工業に移ってきました。次のグラフから読み取れる内容で、こうした変化の具体例として正しい説明を、①～④から一つ選びなさい。

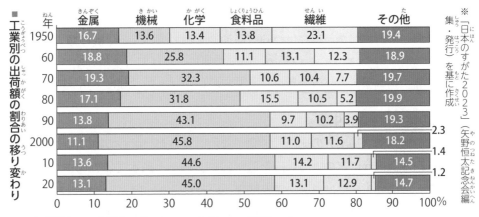

■工業別の出荷額の割合の移り変わり

① 「食料品」の割合が下がり、「化学」の割合が上がった。
② 「化学」の割合が下がり、「食料品」の割合が上がった。
③ 「機械」の割合が下がり、「繊維」の割合が上がった。
④ 「繊維」の割合が下がり、「機械」の割合が上がった。

6 焼き物や織物・染め物といった工芸品を作る「伝統工芸」が、日本各地に伝わっています。こうした伝統工芸は一般に、どのような特徴がありますか。正しい説明を①～④から一つ選びなさい。

① 最先端の機械を使って、一度にたくさんの工芸品を作れる。
② 特別な訓練を受けていない人でも、質の高い工芸品を簡単に作れる。
③ 職人（作り手）になりたい若者が増えすぎて問題になっている。
④ 昔から伝わる技術を使って、主に手作りで工芸品を作る。

日本の貿易の特徴は

🔺 横浜港で輸出を待つ自動車

Step 1　ここが大切　|　基本のことば

◎ 輸出額の約2割を占める自動車

　国境を越えて商品（ものやサービス）を売り買いすることを、**貿易**といいます。例えば日本の会社がアメリカの会社に売ることを**輸出**、アメリカの会社から買うことを**輸入**といいます。貿易はこの輸出・輸入（輸出入）をまとめた言葉で、**交易**、**通商**もほぼ同じ意味です。

　資源が少ない日本は原料・材料を輸入し、それを加工した工業製品を輸出する**加工貿易**によって発展してきました。現在は燃料（原油や天然ガス、石炭）、機械類（携帯電話やコンピューター）、衣類などを輸入し、自動車、自動車部品、機械類（集積回路など）、鉄鋼などを輸出しています。**自動車と自動車部品**は、日本の輸出総額の約2割を占めています。

◎ 最大の貿易相手国は中国

　日本の貿易額（輸出入の総額）を相手国別に見ると、最も多いのは**中国**で、2位は**アメリカ**です。日本はほかにどのような国と取引しているか、11㌻で確かめましょう。

　外国からの輸入品には普通、国が**関税**という税金をかけます。消費者にとって輸入品の値段は、そのぶん上がります。安い輸入品に押されて国産品が売れなくなるのを防ぐのが、関税をかける目的の一つなのです。

◎ 貿易港の代表は「成田国際空港」

　貨物を輸出入する時は、**コンテナ船**や航空機で運びます。日本の貿易港（港湾と空港）の中で、取り扱う輸出品・輸入品の総額が最も多いのは、千葉県にある**成田国際空港**です。

Step 2　わかるかな？　|　確認テスト

 正答例は57㌻

★ 国境を越えて商品を売り買いすることを（①　　　　　　　　）といいます。日本は原料・材料を輸入し、それに手を加えた工業製品を輸出する（②　　　　　　　　）で発展してきました。
★ 日本の輸出品の代表例は（③　　　　　　　　）とその部品、機械類（集積回路など）、鉄鋼です。
★ 日本にとって最大の貿易相手国は（④　　　　　　　　）で、2位はアメリカです。
★ 外国からの輸入品には普通、国が（⑤　　　　　　　　）をかけます。
★ 日本最大の貿易港（港湾と空港）は、（⑥　　　　　　　　）県にある「成田国際空港」です。

日本の輸出と輸入

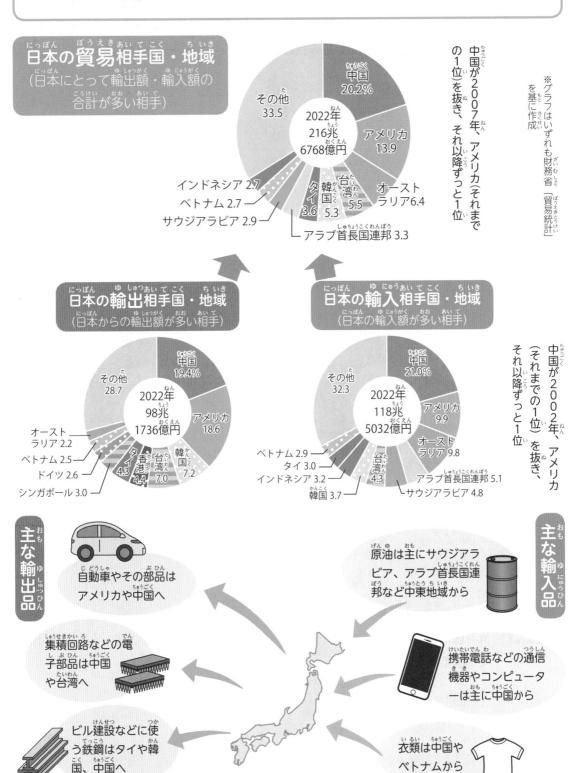

日本の貿易相手国・地域
（日本にとって輸出額・輸入額の合計が多い相手）

2022年
216兆
6768億円

- 中国 20.2%
- アメリカ 13.9
- オーストラリア6.4
- アラブ首長国連邦 3.3
- 台湾 5.5
- 韓国 5.3
- タイ 3.6
- サウジアラビア 2.9
- ベトナム 2.7
- インドネシア 2.7
- その他 33.5

中国が2007年、アメリカ（それまでの1位）を抜き、それ以降ずっと1位

※グラフはいずれも財務省「貿易統計」を基に作成

経済

日本の輸出相手国・地域
（日本からの輸出額が多い相手）

2022年
98兆
1736億円

- 中国 19.4%
- アメリカ 18.6
- 韓国 7.2
- 台湾 7.0
- 香港 4.4
- タイ 4.3
- シンガポール 3.0
- ドイツ 2.6
- ベトナム 2.5
- オーストラリア 2.2
- その他 28.7

日本の輸入相手国・地域
（日本の輸入額が多い相手）

2022年
118兆
5032億円

- 中国 21.0%
- アメリカ 9.9
- オーストラリア 9.8
- アラブ首長国連邦 5.1
- サウジアラビア 4.8
- 台湾 4.3
- 韓国 3.7
- インドネシア 3.2
- タイ 3.0
- ベトナム 2.9
- その他 32.3

中国が2002年、アメリカ（それまでの1位）を抜き、それ以降ずっと1位

主な輸出品

自動車やその部品はアメリカや中国へ

集積回路などの電子部品は中国や台湾へ

ビル建設などに使う鉄鋼はタイや韓国、中国へ

主な輸入品

原油は主にサウジアラビア、アラブ首長国連邦など中東地域から

携帯電話などの通信機器やコンピューターは主に中国から

衣類は中国やベトナムから

 **Step 3** **N検にチャレンジ！** | **練習問題**

正解と解説は57ページ

☐☐ **1** 【　A　】が少ない日本は、原料や材料を【　B　】し、それを加工して作った工業製品を【　C　】する加工貿易によって発展してきました。【　A　】〜【　C　】に当てはまる言葉の正しい組み合わせを、①〜④から一つ選びなさい。

① A－人口　　B－輸出　　C－輸入
② A－資源　　B－輸出　　C－輸入
③ A－人口　　B－輸入　　C－輸出
④ A－資源　　B－輸入　　C－輸出

☐☐ **2** 次の二つのグラフは、日本の輸出、輸入それぞれの相手国・地域の内訳（輸出総額、輸入総額に占める割合）を示しています。このうち、【　A　】は何という国ですか。正しいものを①〜④から一つ選びなさい。

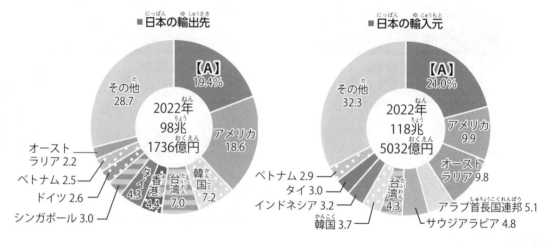

① ロシア
② ドイツ
③ インド
④ 中国

☐☐ **3** 日本は工業や火力発電に必要な【　　　】を外国からの輸入に頼っています。輸入元を国別に見ると、サウジアラビアから最も多く輸入しています。【　　　】に当てはまる言葉を、①〜④から一つ選びなさい。

① 原油　　② 鉄鋼　　③ 電子部品　　④ 医薬品

④

4 次のA〜Dは、中国、フィリピン、アメリカ、ブラジルのいずれかに関する説明です（それぞれの国はA〜Dのどれか一つに当てはまります）。このうち、Aはどの国ですか。正しいものを①〜④から一つ選びなさい。

A：日本にとって、コーヒー豆の最大の輸入元だ。
B：日本にとって、バナナの最大の輸入元だ。
C：日本にとって、自動車の最大の輸出先だ。
D：日本にとって、プラスチックの最大の輸出先だ。

① フィリピン　　② 中国　　③ ブラジル　　④ アメリカ

5 外国から輸入されるものには、輸入する側の国が普通、【　A　】をかけます。ただし、二つ以上の国々が貿易を盛んにするため、輸入品にかける【　A　】を互いに【　B　】取り決めを交わすケースも増えています。【　A　】【　B　】に当てはまる言葉の正しい組み合わせを、①〜④から一つ選びなさい。

① A−関税　　　B−なくす　　② A−関税　　　B−引き上げる
③ A−住民税　　B−なくす　　④ A−住民税　　B−引き上げる

6 外国との間で輸出入する貨物は、大きな箱形の容器に入れて運ぶことが多いです＝写真。この容器は【　　】と呼ばれ、これを一度に大量に積める船を「【　　】船」といいます。【　　】に当てはまる言葉を、①〜④から一つ選びなさい。

① カラーボックス
② ドラム缶
③ コンテナ
④ ゴンドラ

7 国内の港湾・空港で輸出入品の取扱額が最も多いのは、千葉県の「【　　】国際空港」です。【　　】に当てはまる言葉を①〜④から一つ選びなさい。

① 東京　　② 成田　　③ 中部　　④ 関西

日本の貿易の特徴は　13

4 エネルギー資源と電力

🔵 海の上に建設された風力発電用の風車

Step 1 ここが大切 | 基本のことば

◉ 限りある「化石燃料」

テレビを見る、自動車を走らせる、工場で商品を生産する——。私たちは日ごろ、暮らしや産業の中で、**電力**などの**エネルギー**（ものを動かす力）をたくさん使っています。

エネルギー源となる資源の代表例は、**石油（原油）**や**石炭**、**天然ガス**です。何億年も前の生物の死がいが地中で変化したもので、**化石燃料**といいます。ただ、埋まっている地域や量は限られています。火力発電や自動車の燃料に使うと、**地球温暖化**を招く**二酸化炭素（CO_2）**を出します。これに対し、**原子力発電**はCO_2を出しません。ただし原子力発電所（原発）で事故が起きると、**放射性物質**が飛び散り、住民の健康被害や環境汚染を招く危険があります。

◉ 広がる「再生可能エネルギー」の利用

このため**太陽光**、**風力**などの**自然エネルギー**を活用する動きが、世界で広がっています。いくら使ってもなくならないため、**再生可能エネルギー**（再生エネ）ともいいます。発電でCO_2も出しません。「発電費用が高い」「風力などは天候に左右される」などの課題がありますが、費用は徐々に安くなってきました。**水力**、**地熱**、植物などの**バイオマス**も再生エネです。

日本は現在、電力の7割超を天然ガス、石炭などによる火力発電でまかなっています（2021年度）。2011年の東日本大震災で東京電力福島第1原発が大事故を起こした後、各地の原発が止まり、火力発電に頼る割合が高まったためです。再生エネ発電は、原発事故の後、国が後押しする制度をつくるなどして増えてきたものの、電力全体の1割超にとどまっています。

Step 2 わかるかな？ | 確認テスト

☞ 正答例は57ページ

★ 石油（原油）や石炭、天然ガスを（①　　　　　）燃料といいます。火力発電の燃料などに使われますが、地球温暖化を招く（②　　　　　）を出します。一方、原子力発電は（②　　　　　）を出しませんが、事故が起きると（③　　　　　）物質による汚染を招く危険があります。

★ 太陽光、風力などの自然エネルギーを「（④　　　　　）可能エネルギー」ともいいます。

★ 日本では東日本大震災（2011年）後、天然ガスなどによる（⑤　　　　　）発電に頼る割合が高まりました。各地の（⑥　　　　　）発電所が止まったためです。

Step 3 N検にチャレンジ！ ｜ 練習問題

正解と解説は57ページ

1 石油（原油）や石炭、天然ガスは世界で多く使われているエネルギー資源です。この三つの共通点として、正しい説明を①～④から一つ選びなさい。

① 大昔の生き物の死がいが地中で変化してできた。
② 世界中のどこでも、地下に必ず埋まっている。
③ 人間がいくら使っても、決してなくならない。
④ 火力発電の燃料に使っても、二酸化炭素（CO_2）は全く出ない。

2 石油、石炭、天然ガスについて正しい説明を①～④から一つ選びなさい。

① 「天然ガス」と「都市ガス」は全く違うものから作られる。
② 石油はガソリン、プラスチックなどに加工され、幅広く使われている。
③ 日本で石炭が採掘されたことは、これまでに一度もない。
④ 三つとも「固形燃料」と呼ばれている。

3 現在の日本は、必要なエネルギー資源の約9割を輸入しています。その理由の例として正しい説明を、①～④から一つ選びなさい。

① 日本は輸出品よりも輸入品を増やす政策をとっているから。
② 国内で取れる自前のエネルギー資源は、輸出に回しているから。
③ 風力や地熱などの自然エネルギーを大量に輸入しているから。
④ 石油（原油）や石炭、天然ガスは、国内でほとんど取れないから。

4 次の写真は、【　　】を利用して発電するための装置です。【　　】に当てはまる言葉を、①～④から一つ選びなさい。

① 火力
② 水力
③ 太陽光
④ 風力

経済

● エネルギー資源と電力　15

5 太陽光や風力を利用した発電について、正しい説明を①～④から一つ選びなさい。

① 地球温暖化を招く二酸化炭素（CO_2）が大量に出る。
② 使い続けてもなくなることはない。
③ 天候に左右されず、毎日、同じ電力量を発電できる。
④ 発電所が事故を起こすと、放射性物質による汚染を引き起こす恐れがある。

6 発電所はその種類によって、建設に適した場所が異なります。次のア～ウは、「火力」「水力」「原子力」「地熱」のいずれかの発電所の建設に適した場所の例です。四つの発電所のうち二つにはアが、残る二つにはイ、ウどちらかが当てはまります。写真も参考にして、アが当てはまるものを、①～④から一つ選びなさい。

左は火力発電所、右は水力発電所の例

上は原子力発電所、下は地熱発電所の例

ア：発電に使った蒸気を冷やすため、大量の海水を入手しやすい沿岸部
イ：川の近くや貯水ダムを造れる山間部
ウ：火山の周辺で、地下に熱水などがたまっている場所

① 火力と水力　　　　　　② 火力と原子力
③ 水力と地熱　　　　　　④ 原子力と地熱

7 日本は【　　　】を使う火力発電所のうち、古いタイプのものを2030年度までにほとんどなくす方針です。地球温暖化の原因となる二酸化炭素（CO_2）を多く出すからです。【　　　】に当てはまる言葉を、①～④から一つ選びなさい。

① 原子力　　② 水力　　③ 石炭　　④ バイオマス

5 売る・買う・食べる

▲ 地球温暖化対策にもなる新幹線の貨物輸送

Step 1　ここが大切 ｜ 基本のことば

◎ 増えるインターネットの通信販売

　私たちは商品をお金で買い、使ったり食べたりしています。これを**消費**といいます。私たちはみな**消費者**です。商品には、形のある**物資**（農産物、工業製品など）と、形のない**サービス**（交通、通信など）があります。物を売る店を**小売店**、その仕事を**小売業**といいます。

◆**客が店まで出かけて買う（例）**……商品を直接見て、手に取れる
・近所の商店街（八百屋、書店など）、コンビニエンスストア、百貨店（デパート）など
◆**客が出かけずに買う（例）**……商品を直接見て手に取ることはできない
・通信販売（インターネットや電話で注文すると、商品が宅配便などで届く）

　工場や産地で生産された商品を消費者が買うまでの流れを、**流通**といいます。流通を支えているのは**運輸業**です。物を運ぶ**貨物輸送**の中心は現在、人を運ぶ**旅客輸送**と同様、**自動車**です。近年、宅配便の荷物を届けるトラック運転手の人手不足や長時間労働が問題になりました。**インターネットで注文する通信販売**が盛んになり、配達する荷物の量が急増したからです。

◎ 6割以上を輸入に頼っている食料

　日本の**食料自給率**（食料を国内の生産でまかなう割合）はここ数十年間ほぼ下がり続け、近年は40％弱（カロリーで計算）。主な先進国で最低水準です。国産でまかなえる**米**の消費量が減り、輸入に頼る**肉類**などを多く食べるようになった「**食生活の欧米化**」が背景にあります。

Step 2　わかるかな？ ｜ 確認テスト

正答例は58ペ

★ 私たちは商品を買い、使ったり食べたりしています。これを（①　　　　　　）といいます。
★ 商品には、形のある物資と、交通や通信といった形のない（②　　　　　　）があります。
★ 生産された商品を消費者が買うまでの流れを（③　　　　　）といい、運輸業が支えています。
　日本では現在、物を運ぶ貨物輸送の中心は旅客輸送と同様、（④　　　　　）です。
★ 近年、（⑤　　　　　　　）で注文する通信販売による買い物が増えています。
★ 日本は食料の6割以上を輸入に頼っています。食生活の（⑥　　　　　）化が背景にあります。

17

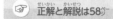

1 私たちが日ごろ買っている「商品」は、大きく「物資」と「サービス」に分けられます。このうち、サービスの例として正しいものを、①〜④から一つ選びなさい。

① 衣料品　　　② 自動車　　　③ 交通　　　④ 電気製品

2 都道府県などの地方自治体には、例えば商品を不当に高い価格で買わされてしまった時に、相談に乗ってくれる機関が置かれています。この機関は自治体によってさまざまな呼び方がありますが、「【　　　】センター」という名前が一般的です。「１８８（いやや）」番に電話をかけるとつながります。【　　　】に当てはまる言葉を、①〜④から一つ選びなさい。

① 消費生活　　　② シルバー人材　　　③ 救命救急　　　④ カルチャー

3 次のA〜Dは、「地域の商店街」「コンビニエンスストア（コンビニ）」「スーパーマーケット（スーパー）」「百貨店（デパート）」のいずれかについての一般的な説明です。このうちコンビニ、百貨店の説明として正しい組み合わせを、①〜④から一つ選びなさい。

A：大きな都市の中心部などにある。大きなビルの中に服などさまざまな商品の売り場があり、店員が接客する場合が多い。高価なブランド品もある。地下に食料品売り場がある場合が多い。

B：食料品から日用雑貨、衣類まで商品の種類が多い。新聞チラシなどで安売りを宣伝することもある。大型店は広い駐車場を備えている。

C：多くの店が24時間営業し、弁当や飲み物、日用品をそろえている。客がコピー機を使ったり宅配便を出したりできる店もある。

D：八百屋や魚屋など主に個人経営の店が集まる。昔ながらの店も多く、地域に根ざしている。

① コンビニ−A　　百貨店−C
② コンビニ−B　　百貨店−A
③ コンビニ−C　　百貨店−A
④ コンビニ−C　　百貨店−D

「コンビニエンス」は英語で「便利」を意味する。名前の通り、コンビニではいつでもおにぎりや総菜が買えて便利だ

4 次のマークは、衣類を適切に手入れするための方法を示しています。このマークの意味として正しいものを、①〜④から一つ選びなさい。

① 日の当たらない場所でつり下げて干すのがよい。
② アイロンがけはできない。
③ 家庭では洗濯できない。
④ 絞ってはいけない。

5 貨物を遠くへ輸送する際、これまでトラックなどの自動車輸送に頼っていたものを、鉄道や船での輸送に切り替えようという動き（モーダルシフト）があります。鉄道や船のメリットに当てはまらないものを、①〜④から一つ選びなさい。

① トラックよりも多くの貨物をまとめて輸送することができる。
② 輸送中、二酸化炭素の排出を抑えることができる。
③ 一度に運べる貨物が多いわりに、燃料は少なくて済む。
④ 飛行機よりも速く、新鮮な野菜の輸送に向いている。

6 日本は近年、食料の6割以上（カロリーで計算）を輸入に頼っています。その背景には、50年ほど前と比べて▽国産でまかなえる主食の【　A　】を食べる量が大幅に減った▽輸入に頼る【　B　】や油脂類（バターなど）を使う洋風のおかずを、たくさん食べるようになった──といったことがあります。【　A　】【　B　】に当てはまる言葉の正しい組み合わせを、①〜④から一つ選びなさい。

① A－パン　　　　　B－野菜　　　② A－パン　　　　　B－肉類
③ A－ご飯（米）　　B－野菜　　　④ A－ご飯（米）　　B－肉類

7 まだ食べられるのに、捨てられてしまう食べ物（売れ残りや食べ残し）を「食品ロス（フードロス）」といいます。日本は食品ロスの多い国です。食品ロスは、例えば【　　　】といった工夫で減らすことができます。【　　　】に当てはまらないものを、①〜④から一つ選びなさい。

① 食材を買いすぎた時は、腐って食べられなくなる前に捨てる
② 買い物をする時は、使い切れる分だけの食材を買う
③ 外食する時は、食べ切れそうな量のメニューを注文する
④ 調理する時、果物や野菜の皮をむきすぎない

6 社会で働くということ

働きがいも経済成長も 8

つくる責任つかう責任 12

賃金の引き上げを訴えて行進する人々

Step 1　ここが大切　｜　基本のことば

◎ 雇われて働く人、個人で働く人

　多くの人は、自分や家族が働いて得た収入（お金）で暮らしています。働く人の約9割は会社や国・地方自治体などに雇われて会社員や公務員として働き、**賃金（給料）**をもらっています。一方、雇われずに、個人で農業や商店を営む働き方もあります。

◎ 女性の社会進出、増える共働き世帯

　日本ではかつて、結婚した女性は専業主婦になるのが一般的でした。近年は働く女性が増え、夫婦とも働く**共働き世帯**は、専業主婦がいる世帯よりはるかに多いです。一般に、共働き世帯で育児・介護や家事を多く担っているのは女性のほうで、重い負担が問題になっています。
　会社の社長や国会議員の多くは男性で、外国と比べて女性の割合が低いことも課題です。

◎ 働きすぎや「賃金の格差」が問題に

　働く人の権利を守るため、労働時間・休日や賃金などについて会社が守るべきルールが法律で定められています。それでも▽残業による**働きすぎ**で健康を損なう人が後を絶たない▽**正規雇用**で働く人（正社員）に比べ、**非正規雇用**の人の賃金が**安すぎる**――ことが問題になってきました。こうした問題を解決するため、国は「**働き方改革**」に取り組んでいます。
　正規雇用という働き方は、会社が決めた年齢（定年）までその会社で働くことができます。非正規雇用は短期間（3カ月、半年など）の約束で働くことで、例えばパートタイム、アルバイトなどです。日本では近年、非正規雇用が増え、雇われて働く人の40%近くを占めています。

Step 2　わかるかな？　｜　確認テスト

正答例は58ページ

★ 世の中で働く人の多くは会社などに雇われ、働く見返りに（①　　　　　　　）をもらっています。役所に勤める人は（②　　　　　　　）といいます。雇われずに個人で働く人もいます。

★ 働く女性の増加を背景に（③　　　　　　　）世帯が増え、専業主婦の世帯数を上回っています。

★ （④　　　　　　　）による働きすぎで健康を損なう人が後を絶たず、問題になってきました。

★ 雇われ方には、会社が決めた年齢までその会社で働ける（⑤　　　　　　　）雇用と、短期間（3カ月、半年など）の約束で働く（⑥　　　　　　　）雇用――の2種類があります。

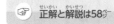
1 会社などに勤める人は、働く見返りに【　A　】を受け取って暮らしています。働く人の【　B　】を守るため、労働時間や休日などについて会社が守るべきルールが法律で定められています。【　A　】【　B　】に当てはまる言葉の正しい組み合わせを、①〜④から一つ選びなさい。

① A－表彰状　　B－義務　　　② A－表彰状　　B－権利
③ A－賃金　　　B－義務　　　④ A－賃金　　　B－権利

2 次のグラフは、「働くこと」に関する数字の大まかな変化を示しています。A、Bはどのような数字ですか。正しい組み合わせを①〜④から一つ選びなさい。（縦軸の数値・単位は省略しています）

① A－働く男性の数
　　B－働く女性の数
② A－女性の平均賃金
　　B－男性の平均賃金
③ A－共働き世帯の数
　　B－専業主婦がいる世帯の数
④ A－地方の町や村で働く人の数
　　B－東京などの大都市で働く人の数

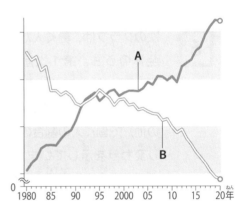

3 日本では近年、【　A　】する時間が【　B　】、病気になったり自殺に追い込まれたりする人が後を絶たず、問題になってきました。【　A　】【　B　】に当てはまる言葉の正しい組み合わせを、①〜④から一つ選びなさい。

① A－旅行　　B－長すぎて　　　② A－旅行　　B－短すぎて
③ A－残業　　B－長すぎて　　　④ A－残業　　B－短すぎて

4 雇われ方には、会社が決めた年齢（定年）まで同じ会社で働ける「正規【　　　】」と、3カ月、半年など短期間の約束で働く「非正規【　　　】」があります。【　　　】に当てはまる言葉を、①〜④から一つ選びなさい。

① 通学　　　② 雇用　　　③ 留学　　　④ ボランティア

●社会で働くということ　21

暮らし

□
5 次の資料は、働き手を募集する求人広告の例です。この広告の内容として正しい説明を、①～④から一つ選びなさい。

スタッフ（アルバイト）募集！！	
資格●高校生歓迎 　　　※22時以降は18歳以上のみ 給与●時給1000円以上 　　　22時以降は1250円以上	勤務時間●1日3時間からOK 　　　　面接の際に相談してください その他●交通費全額支給、食事補助あり

① 正社員を募集している。
② 1日1時間以上働ける人を募集している。
③ 22時（午後10時）以降の時給は、1000円だ。
④ 職場までの交通費は全額払ってもらえる。

□
6 次のグラフは、働く人たち全体のうち、第1次産業（農業など）、第2次産業（工業など）、第3次産業（その他）で働く人の割合の移り変わりを示しています。グラフの内容や産業の分類として正しい説明を、①～④から一つ選びなさい。

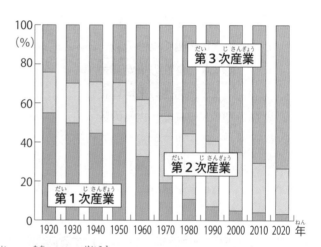

① 第1次産業で働く人の割合は、高くなる傾向にある。
② 第3次産業で働く人の割合は、高くなる傾向にある。
③ グラフ内のどの年も、割合が最も高いのは第2次産業だ。
④ ものを運ぶ「運輸業」やインターネット関連の「情報通信業」は第1次産業だ。

□
7 介護福祉士は、お年寄りや障害のある人を介護する職業です。介護とはどのようなことをしますか。その例に当てはまらないものを、①～④から一つ選びなさい。

① 病気やけがを診察して、治療する。
② 食事や入浴、トイレの手助けをする。
③ 掃除や洗濯の手助けをする。
④ 病院に行く時に付き添う。

7 減る人口 日本はどこへ？

 Step 1 ここが大切 ｜ 基本のことば

◎ 2070年には働き手が4割も減る

　日本の人口は減り続けています。今は1億2494万7000人（2022年10月1日時点、日本に住む外国人を含む総人口）ですが、2070年には約8700万人に減ると予測されます。特に経済を支える働き手世代（15〜64歳）は2020年と比べて約4割も減り、国が衰えてしまう恐れがあります。

　背景にあるのは、生まれる赤ちゃんが減る**少子化**です。人口に占めるお年寄り（65歳以上）の割合が高まる**高齢化**も進んでおり、合わせて**少子高齢化**といいます。

　子どもの数はなぜ減っているのでしょうか。結婚や出産する年齢が上がってきたこと（**晩婚、晩産**）が大きな原因です。産みたくても産めない人もいます。**保育所**が満員で子どもを預けられないため、出産をためらう共働き夫婦もいます（「**待機児童**」問題）。

◎ 子育てをしやすい国に

　人口の減少に歯止めをかけようと、国は「待機児童を減らす」「幼稚園・保育所の利用料を原則無料にする」といった対策に取り組んでいます。育児のために仕事を休める「育児休業」制度を使いやすくするなど、特に男性の家事・育児への参加を促しています。

◎ 人口が集中する3大都市圏

　日本では、**3大都市圏**（東京圏、大阪圏、名古屋圏）に人口が集中しています。一方で、地方には人口がたいへん少なくなった**過疎地域**があります。過疎地域では一般に、若者が減り、地域の伝統的な祭りや行事を守り続けるのも難しくなりがちです。

Step 2 わかるかな？ ｜ 確認テスト　　☞ 正答例は59ページ

★ 日本の人口は減り続け、今の約（①　　　　　　）億2494万人からさらに減る見込みです。
★ 背景には、生まれる赤ちゃんの数が減る一方、人口に占める（②　　　　　）の割合が高まる「（③　　　　　　）高齢化」があります。子どもが減っている大きな原因は、（④　　　　　　）や出産する年齢が上がってきたことです。（⑤　　　　　）に子どもを預けたくても預けられない待機児童の問題も、共働き夫婦が出産をためらう原因になっています。
★ 日本の人口は東京圏、大阪圏、名古屋圏の（⑥　　　　　　）圏に集中しています。

日本では子どもの数が減っている

暮らし

23

Step 3 N検にチャレンジ！ ｜ 練習問題

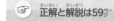 正解と解説は59ページ

□
□ **1** 次のA〜Cは、中学1年生のマチさん、母好江さん、祖母景子さんについての説明です。それぞれ誰についての説明ですか。本人や同級生、近所のきょうだいの数をもとに推測する時、最も可能性が高い組み合わせを、①〜④から一つ選びなさい。

A：2人姉妹。小学校の同級生も2人きょうだいが多かった。
B：5人きょうだいの末娘。近所でも4、5人きょうだいは珍しくなかった。
C：一人っ子。小学校の同級生も一人っ子が多かった。

① A－マチ　B－好江　C－景子　　　② A－景子　B－マチ　C－好江
③ A－好江　B－マチ　C－景子　　　④ A－好江　B－景子　C－マチ

□
□ **2** 「高齢化」とはどのようなことですか。正しい説明を①〜④から一つ選びなさい。

① 人口に占めるお年寄りの割合が高まることだ。
② 生まれる赤ちゃんの数が増えることだ。
③ 大学を卒業する人の割合が高まることだ。
④ 結婚しない人が増えることだ。

□
□ **3** 日本では、生まれる赤ちゃんの数が減っています。減っている原因の例として正しい説明を、①〜④から一つ選びなさい。

① 女性が出産する年齢が、年々下がっているから。
② 結婚する年齢が高くなってきたから。
③ 平均寿命が短くなってきたから。
④ 家事や育児をする男性が増えてきたから。

□
□ **4** 「少子化」を食い止める対策の例に当てはまるものを、①〜④から一つ選びなさい。

① 親が働いている間、子どもを預かる保育所を増やす。
② バスや電車の本数を増やして便利にする。
③ 結婚する人が減るように、男女の出会いの場をなくす。
④ 子どもが2人以上いる家庭からは、多くの税金をとる。

5 日本では、人口が「3大都市圏」に集中する傾向が続いています。3大都市圏に含まれる都市として正しいものを、①～④から一つ選びなさい。

① 仙台　　　② 金沢　　　③ 名古屋　　　④ 松江

6 村や町の人口がとても少なくなって、住民が暮らしにくくなる状態を「過疎」といいます。過疎地域の特徴の例に当てはまるものを、①～④から一つ選びなさい。

① 山村や離島に多くみられる。
② 働き盛りの若者が増えて、人口に占めるお年寄りの割合が低くなる。
③ 小学校や中学校がどんどん新設される。
④ 伝統的な祭りが年々、盛んになる。

7 大都市に人口が集中する理由として、正しい説明を①～④から一つ選びなさい。

① 大都市には、大学などが少ないから。
② 大都市には、働く場所（会社など）が少ないから。
③ 大都市は地方の都市よりも、土地の値段が安いから。
④ 大都市は交通網が発達し、便利だから。

暮らし

8 次の二つのグラフは、年齢別の人口を積み上げた日本の人口ピラミッド＊です。左側は2020年時点、右側は2070年の推計です。2020年と比べて、2070年にはどう変わると予想されますか。グラフをもとに、正しい説明を①～④から一つ選びなさい。

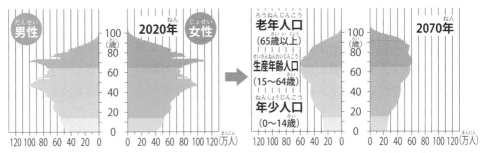

＊人口ピラミッド……男女を左右に分け、一番下を0歳として、上に行くほど年齢が上がります。
　横に広がるほどその年齢の人口が多いことを示します。

① 1年間に生まれる赤ちゃんの数が増える。
② 14歳以下の子どもの人口が増える。
③ 働き手世代（15～64歳）の人口が減る。
④ 女性の人口が大幅に増える一方、男性は大幅に減る。

8 「環境」を守る ために

🔵 海水の温度が上がり白化したサンゴ

 Step 1 ここが大切 ｜ 基本のことば

🔵 工業や私たちの暮らしが招く公害

　工業や私たちの生活によって、自然環境が汚染されたり人々の健康が損なわれたりすることがあります。これを**公害**といいます。日本では、特に経済がどんどん盛んになった1950年代後半〜1970年代初めごろ、工場の**排水・煙**、自動車の**排ガス**などで各地の川や海、大気が汚染され、人々の命や健康を奪う**公害病**が大問題になりました。その代表例は、**四大公害病（水俣病、新潟水俣病、イタイイタイ病、四日市ぜんそく）**です。

　その後、公害を防ぐため工場排水に基準を設けるなど、さまざまな法律が作られました。家庭などの排水をきれいにして川や海に流すために必要な**下水道**も整えられてきました。

🔵 温暖化対策は地球全体の課題

　世界的な環境問題もあります。代表例は、地球の平均気温が上がっている**地球温暖化**です。過去になかった豪雨や猛暑、高温と乾燥による山火事など、異常気象が増えているのも温暖化の影響とみられています。温暖化が進むのは、**二酸化炭素（CO_2）**など地球の熱をため込むガス（温室効果ガス）が増えているためです。人間の活動が主な原因だと考えられています。

　また、**プラスチックごみ**による海の汚染も深刻です。捨てられたプラスチックごみは深海に沈んだり、北極や南極、自然豊かな無人島に流れ着いたりしています。

　このほか▽工場の煙などによる大気汚染で**酸性雨**が降り、コンクリートを溶かしてしまう▽人間が森林を切りすぎて、**砂漠**が広がっている——なども、国境を超えた環境問題の例です。

 Step 2 わかるかな？ ｜ 確認テスト 👉 正答例は59%

★ 今から50〜60年前、工場から流される（①　　　　　　　）で川や海が汚れるなど、各地で（②　　　　　　　）が発生しました。水俣病などの「四大（②）病」はその代表例です。

★ 家庭などから出る排水をきれいにするため、「（③　　　　　　　）水道」が必要です。

★ 地球温暖化の原因は、（④　　　　　　　）（CO_2）などが増えていることです。

★ レジ袋やストローなどの（⑤　　　　　　　）ごみによる海の汚染が深刻化しています。

★ 大気汚染による（⑥　　　　　　　）雨が降ると、他の国の環境にも影響が及びます。

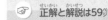

Step 3 N検にチャレンジ！ | 練習問題

 公害の例として正しいものを、①～④から一つ選びなさい。

① 自動車の排ガスによって、地盤沈下が起きる。
② 家庭から出る排水によって、大気が汚染される。
③ 航空機の騒音が大きすぎて、住民が静かに生活できない。
④ 工場が地下水を使いすぎて、地球温暖化が進む。

2 かつて日本の経済が急速に盛んになっていたころ、「四大公害病」が大きな問題になりました。四大公害病に含まれるものを、①～④から一つ選びなさい。

① イタイイタイ病　　　② はしか　　　③ 熱中症　　　④ 結核

 地球の熱をため込み、地球温暖化を招く気体（ガス）の例として正しいものを、①～④から一つ選びなさい。

① 水銀　　　② 水素　　　③ 酸素　　　④ 二酸化炭素

4 次の写真の冷凍食品の包装には、右上に「海のエコラベル　持続可能な漁業で獲られた水産物」と書かれたラベルが表示されています。この場合の「持続可能」とはどのような意味ですか。その例として正しい説明を、①～④から一つ選びなさい。

① 海の環境や魚を大切にして、将来に
　引き継いでいくこと。
② 垂れ流された工場や家庭の排水で海
　が汚染されること。
③ 環境を破壊してもよいのでたくさん
　の魚をとること。
④ 異常気象で大量の魚が絶滅すること。

 使用済みのペットボトルは工場で加工され、再び衣類や容器の原料などに使われます。このように「使い終わったものを再生して原料や材料として利用する」ことを何といいますか。正しい言葉を①～④から一つ選びなさい。

① ハイブリッド　　　② ボランティア　　　③ リサイクル　　　④ デポジット

社会・環境

★次の文章を読んで、問6～8に答えなさい。

「(ア) 環境問題」といえば、地球温暖化が思い浮かぶかもしれません。しかし最近は (イ) プラスチックごみによる海の汚染も、深刻になってきました。動物や人間への影響が心配されるため、プラスチック製品を使わないようにする動きが、世界で広がっています。

プラスチックは主に石油をもとに作られます。軽くて丈夫で値段が安いため、レジ袋やペットボトル、(ウ) ストローなどの日用品だけでなく、自動車など多くの分野で使われています。使う量が増えれば、ごみになる量も増えます。プラスチックは自然のままでは分解されにくいため、捨てられたごみは自然界にたまり続け、川から海へと流れ込みます。

プラスチックごみを減らすため、私たちは日ごろ、どのようなことを心掛ければいいでしょうか。例えば▽リサイクルできるプラスチック製品は、資源ごみに分別する▽シャンプーなどは、中身を詰め替えて容器を使い続けられる商品を買う——などの方法があります。

6 下線部（ア）の環境問題にはいろいろな種類があり、影響もさまざまです。環境問題の例として正しい説明を、①～④から一つ選びなさい。

① 航空機の騒音によって、海や川の水が汚れる。
② 大気汚染によって酸性雨が降り、コンクリートなどを溶かす。
③ 森林が増えすぎて、人間がすむ場所が減る。
④ 地球温暖化で海面が下がり、島国が海に沈む。

7 下線部（イ）について学んだアオイさんのクラスは、海岸で班ごとにごみ拾いをしました。プラスチック製のストローをそれぞれの班が何本ずつ拾ったかを数えたところ、アオイさんの班は3番目に多く、少ないほうから数えると4番目でした。ごみ拾いをした班の数はいくつでしたか。正しいものを①～④から一つ選びなさい。

① 5班   ② 6班   ③ 7班   ④ 8班

8 下線部（ウ）のストローは最近、プラスチックではなく【　　】で作ったものも使われ始めています＝写真は一例。【　　】は自然に分解され、プラスチックよりも環境にやさしいためです。【　　】に当てはまる言葉を、①～④から一つ選びなさい。

① 鉄   ② ガラス   ③ 土   ④ 紙

9 災害列島ニッポン

🔺 津波と地震が襲った海岸沿いの民家
＝石川県珠洲市で2024年1月

Step 1　ここが大切　｜　基本のことば

● 地震や豪雨災害が多い日本列島

　地震や豪雨、火山の噴火などが人や社会に被害を与えることを、**自然災害**といいます。

　地球をおおっている多くの厚い岩板を**プレート**といいます。プレート同士がぶつかり合う場所の周辺は、火山や地震が多いです。日本で火山や地震が多いのは、四つのプレートがぶつかり合う所にあるためです。**東日本大震災**（2011年3月11日）では、東北地方の太平洋側を中心に、大きな**津波**に巻き込まれるなどして約2万人が亡くなり、**東京電力福島第1原子力発電所**も大事故を起こしました。津波とは、地震などで陸に押し寄せる高い波のことです。

　日本は特に近年、**台風**や**梅雨前線**がもたらす豪雨や大雨に毎年のように襲われ、洪水や土砂災害の犠牲になる人が出ています。異常気象の増加は、地球温暖化の影響とみられています。

● 避難場所などは「ハザードマップ」で確認

　自然災害による被害を減らすため、私たちは日ごろから▽役所などが実施する避難訓練に参加する▽非常用の飲み水や食料を準備する▽役所が作る「**ハザードマップ**」を見て、災害（洪水、土砂崩れなど）が起きそうな場所や避難場所を確かめておく──といった備えが必要です。

　「数十年に1度」しか起きないほどの大雨、大雪などが予想される時、気象庁（国の役所）は「**特別警報**」を出し、直ちに命を守る行動を取るよう呼びかけます。大津波警報や緊急地震速報（震度6弱以上）も特別警報の一種です。災害が差し迫った時、地元の市区町村も「**避難指示**」を出し、危険な場所から避難するよう住民全員に呼びかけます。

社会・環境

Step 2　わかるかな？　｜　確認テスト

☞ 正答例は60㌻

★ 地震や豪雨などが人や社会に被害を与えることを（①　　　　　　　　）災害といいます。

★ 日本で地震が多いのは、（②　　　　　　　　）と呼ばれる厚い岩板がぶつかり合う場所にあるためです。噴火で灰などを降らせる（③　　　　　　　）もたくさんあります。

★ 東日本大震災（2011年）では大きな（④　　　　　　　　）が押し寄せ、（⑤　　　　　　　）地方の太平洋側（岩手県、宮城県、福島県）を中心に、大きな被害を受けました。

★ 災害時の避難場所などを示した地図を（⑥　　　　　　　）マップといいます。

☞ 正解と解説は60ページ

1 日本列島は、【　Ａ　】と呼ばれる厚い岩板がぶつかり合う場所にあるため、火山が多いです。火山の近くには普通、【　Ｂ　】があります。これは、地下の高温の熱で温められた地下水で、観光に利用されています。【　Ａ　】【　Ｂ　】に当てはまる言葉の正しい組み合わせを、①〜④から一つ選びなさい。

① Ａ−プレート　　Ｂ−遊園地　　② Ａ−トラフ　　Ｂ−遊園地

③ Ａ−プレート　　Ｂ−温泉　　　④ Ａ−トラフ　　Ｂ−温泉

2 第二次世界大戦後の日本で、最も大きな被害をもたらした地震は東日本大震災（2011年）、２番目は阪神大震災（1995年）です。東日本大震災では大津波が押し寄せ、特に【　Ａ　】地方で多くの人が亡くなりました。阪神大震災は【　Ｂ　】県を中心に大きな被害をもたらしました。【　Ａ　】【　Ｂ　】に当てはまる言葉の正しい組み合わせを、①〜④から一つ選びなさい。

① Ａ−四国　　Ｂ−兵庫　　② Ａ−東北　　Ｂ−兵庫

③ Ａ−四国　　Ｂ−熊本　　④ Ａ−東北　　Ｂ−熊本

3 大きな地震に対して、私たちにはどのような備えが必要ですか。その例として正しいものを、①〜④から一つ選びなさい。

① 非常食として、新鮮な魚や野菜を家に置いておく。
② 大きな家具や家電が倒れてこないように、壁に固定する。
③ 自分の身は自分で守るため、家族が集まる避難場所や連絡方法は決めない。
④ 何度も家に戻って荷物を持ち出せるように、家に多くのバッグを用意しておく。

4 都市部を中心に近年、大量の激しい雨が【　Ａ　】、【　Ｂ　】範囲に降ることがあります。この現象は、新聞やテレビで「ゲリラ豪雨」と呼ばれることもあります。【　Ａ　】【　Ｂ　】に当てはまる言葉の正しい組み合わせを、①〜④から一つ選びなさい。

① Ａ−短時間に　　Ｂ−狭い
② Ａ−短時間に　　Ｂ−広い
③ Ａ−何日間も　　Ｂ−狭い
④ Ａ−何日間も　　Ｂ−広い

ごく一部の地域が雨雲に覆われた東京都心部

★次の文章を読んで、問5〜8に答えなさい。

　日本では近年、(ア) 自然災害が相次いでいます。今後も、大きな (イ) 地震や台風に襲われる可能性があります。ただ、人間がいくら「完全に準備した」と思っても、地震や台風そのものを避けることはできません。被害をゼロにするのも難しいです。

　防災施設も必要ですが、限界があります。「災害は必ずやってくる」ことを前提に、(ウ) 普段から避難場所や避難ルートを確かめておき、いざという時、素早く避難できるように心掛ける。例えばこうした備えが、(エ) 被害を減らすことにつながります。

5　下線部（ア）の自然災害について、正しい説明を①〜④から一つ選びなさい。

① 川の氾濫：周囲の家を水浸しにしたり、押し流したりする。
② 土砂災害：津波によって、海の砂が陸に押し寄せる。
③ 竜巻：火山灰を降らせ、農作物に被害を与える。
④ 火山の噴火：空気の激しい渦巻きにより、多くのものを空高く巻き上げる。

6　下線部（イ）に関連して、日本では「【　A　】トラフ巨大地震」と「【　B　】直下地震」が、いつ起きてもおかしくないと予測されています。【　A　】【　B　】に当てはまる言葉の正しい組み合わせを、①〜④から一つ選びなさい。

① A−北海　　B−首都　　　② A−南海　　B−首都
③ A−北海　　B−関西　　　④ A−南海　　B−関西

7　下線部（ウ）に関連して、「数十年に１度」の大雨、大雪などで重大な災害が起きる可能性が高い時、国（気象庁）は【　A　】を出します。一方、地方自治体は災害に備えて、避難場所などを示す「【　B　】マップ」を作っています。【　A　】【　B　】に当てはまる言葉の正しい組み合わせを、①〜④から一つ選びなさい。

① A−天気予報　　B−ドライブ　　　② A−特別警報　　B−ドライブ
③ A−天気予報　　B−ハザード　　　④ A−特別警報　　B−ハザード

8　下線部（エ）に関連して、「地震や台風などの被害をゼロにするのは難しいので、災害への備えを工夫して被害を減らすことに力を入れよう」という考えを何といいますか。正しい言葉を①〜④から一つ選びなさい。

① 減災　　　② 人災　　　③ 火災　　　④ 震災

社会・環境

10 コロナで変わる社会

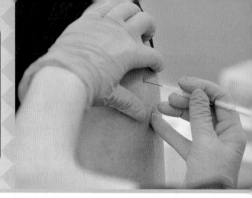

△ ワクチンはウイルスから体を守る

 ## Step 1　ここが大切　｜　基本のことば

◎ 感染いまだ収まらず

　2019年以降、世界中に広がった**新型コロナウイルス**（新型コロナ）は、流行の波を繰り返し、2022年末までに世界で6億5000万人以上が感染し、死者は667万人を超えました。

　コロナウイルスは、人や動物の間で広く感染症を引き起こします。お年寄りや糖尿病などの病気を持つ人は重症化しやすいです。ウイルスは感染を繰り返すと変異を起こして性質が変わります。感染力の強い「**変異株**」が次々と現れたことも、完全に感染が収まらない理由です。

　新型コロナの感染が流行してから、**インターネット**を活用し、会社に出勤せずに自宅などで働く「**テレワーク**」（リモートワーク）が広がり、定着しました。

◎ 感染予防のカギは？

　感染しやすいのは「密閉、密集、密接」の3条件で、この「**3密**」を避けるのが感染予防の基本です。満員電車などの混み合った場所や、病院、お年寄りが暮らす施設など、感染すると重症化しやすい人の多い場所では、マスクの着用なども感染を広げないために有効です。

　新型コロナのようにウイルスに感染することで発症する病気から体を守るために、強い味方になるのが「**ワクチン**」です。ワクチンは、病気を引き起こす働きを弱めた病原体や、病原体を作るたんぱく質を原料にして作ります。人間の体には「**免疫**」という、病原体と闘う仕組みがあります。ワクチン接種を受けると免疫ができて、病気になったり重症化したりするのを防げます。新型コロナのワクチンは、ヨーロッパやアメリカで急いで開発され、日本でも大きな効果がありました。

Step 2　わかるかな？　｜　確認テスト

☞ 正答例は60ジ゙ー

★ （①　　　　　　　　　　）は、人や動物の間で広く感染症を引き起こすウイルスです。新型（①）に感染しても多くは軽症ですが、お年寄りなどは（②　　　　　　）しやすいです。

★ 感染予防には、感染しやすい3条件を指す「（③　　　　　　　）」を避けたり、（④　　　　　　　　　）の着用、手指の消毒を心掛けたりすることが有効です。自宅などで働く（⑤　　　　　　）（リモートワーク）も広がりました。

★ （⑥　　　　　　　）の接種を受けると免疫ができて、病気になったり重症化したりするのを防げます。

1 新型コロナウイルス感染症のように、ウイルスに感染することで発症するものを、①～④から一つ選びなさい。

① 熱中症　　　② 花粉症　　　③ インフルエンザ　　　④ 水俣病

2 新型コロナウイルスの感染拡大後、「テレワーク」を導入する会社が増えました。テレワークとは、インターネットやパソコンなどの情報通信技術（ＩＣＴ）を活用して【　Ａ　】などで仕事をする働き方のことで、【　Ｂ　】ともいいます。【　Ａ　】【　Ｂ　】に当てはまる言葉の正しい組み合わせを、①～④から一つ選びなさい。

① Ａ－自宅　　　Ｂ－リモートワーク
② Ａ－自宅　　　Ｂ－ライフワーク
③ Ａ－会社　　　Ｂ－ネットワーク
④ Ａ－会社　　　Ｂ－ハードワーク

テレワークを導入している会社の社内の様子

3 新型コロナウイルス感染症や感染対策の現状について、正しい説明を①～④から一つ選びなさい。

① 新型コロナは、季節に関係なく流行する。
② 新型コロナに感染した人は、2023年に入ってからはゼロになった。
③ マスクを正しく着ければ、新型コロナには絶対に感染しない。
④ 時間や場所に関係なくマスクを着けることが、全国民に法律で義務づけられている。

4 新型コロナウイルスやインフルエンザウイルスなどに感染した時に症状が重くならないようにするため、感染力の弱いウイルスなどから作られる【　　　】を「予防接種」することで免疫（病原体と闘う仕組み）を作る方法があります。【　　　】に当てはまる言葉を、①～④から一つ選びなさい。

① カロリー　　　② ビタミン　　　③ ブロック　　　④ ワクチン

社会・環境

11 共に生きる社会へ

ラグビー日本代表

△ ラグビー日本代表の選手たちは出身国もさまざまだ

 Step 1 ここが大切 | 基本のことば

◉ 違いを認め合う社会へ

　年齢や性別、出身国などに関係なく、誰もが自分らしく生きられる「**多様性**」のある社会が、大切だと考えられるようになってきました。主な駅や公共の施設では、お年寄りや障害のある人が暮らしやすいように、障壁になるものを取り除く「**バリアフリー**」が進み、エレベーターや点字ブロックが設置されています。電車やバスには、お年寄りなどのための「優先席」や、ベビーカーをたたまずに乗車できるスペースも設けられています。

　オリンピック（五輪）が開かれる年には、障害のある人たちの国際スポーツ大会「**パラリンピック**」が、五輪と同じ都市で開かれます。2024年はパリで夏季大会があり、ブラインドサッカー、ボッチャなど、特色のある22競技が行われます。

◉ 障害のある人を助ける「補助犬」

　目の不自由な人、耳の不自由な人、車いすで生活する人のために働く犬をそれぞれ、**盲導犬、聴導犬、介助犬**といいます。これらをまとめて**補助犬**とも呼びます。障害のある人が補助犬を伴って役所や交通機関、飲食店を利用することを、店などは断ってはいけない、と法律で決められています。しかし、実際には補助犬の同伴を断られることは珍しくなく、問題になっています。

◉ 日本で暮らす外国人 大半はアジア出身

　日本で暮らす外国人は300万人超に上り、大半は**アジア**地域の出身です（2022年末時点）。人種や言語、宗教は異なりますが、違いを認め合うことが大切です。

 Step 2 わかるかな？ | 確認テスト　　　☞ 正答例は61ﾍﾟ

★ お年寄りや障害のある人の生活にとって障壁（バリアー）となるものや考えをなくすことを
（①　　　　　）といいます。

★ （②　　　　　　　　）とは、障害のある人たちの国際スポーツ大会です。

★ 盲導犬、聴導犬、（③　　　　　）犬をまとめて（④　　　　　）犬といいます。障害のある人が（④）犬を伴って店などを利用することを、店などは断ってはいけない、と決まっています。

★ 日本で暮らす外国人の大半は、中国、韓国といった（⑤　　　　　　　　　）地域の出身です。

1　障害のある人たちが社会で安全に暮らせるように、さまざまな取り組みが進められています。このうち、目の不自由な人の役に立つ設備や動物の例として<u>誤っているもの</u>を、①〜④から一つ選びなさい。

① 駅のホームドア

② 歩道などの点字ブロック

③ 盲導犬

④ 英語を書き添えた道路標識

2　【　　】とは、障害のある人やお年寄りが仕事や生活をしやすくするため、邪魔になるものを取り除くなどして環境が整えられている状態のことをいいます。【　　】に当てはまる言葉を、①〜④から一つ選びなさい。

① リサイクル　　　　　　② バリアフリー
③ プライバシー　　　　　④ ボランティア

3　次の写真は記者会見の様子です。左側の女性は、右側の男性の話す内容を【　　】で伝えています。【　　】に当てはまる言葉を①〜④から一つ選びなさい。

① やさしい日本語
② 点字
③ 手話
④ 字幕

社会・環境

● 共に生きる社会へ　35

4 電車やバスなどの乗り物で、ベビーカーを使う人の優先スペースを示すマークはどれですか。正しいものを、①〜④から一つ選びなさい。

①

②

③

④

5 日本で暮らす外国人の大半は、中国や韓国、ベトナムといった【　　】の国・地域の出身です。【　　】に当てはまる言葉を、①〜④から一つ選びなさい。

① アジア　　　② ヨーロッパ　　　③ 南アメリカ　　　④ アフリカ

6 日本で暮らす外国人に伝わりやすい日本語を使おうという動きが広がっています。例えば「難しい言葉は使わない」「文を短くする」といった工夫をします。次の文章A、Bをどのように改めると、伝わりやすくなりますか。適切な工夫の例として正しい組み合わせを、①〜④から一つ選びなさい。

A：高台に避難してください。（災害が起きた時の防災無線など）
B：列車に遅延が生じております。（鉄道の車内アナウンス）

ア：安全な避難先は海沿いではなく、高台です。
イ：高い所に逃げてください。
ウ：列車の運転が遅れています。
エ：列車のダイヤに乱れが発生しています。

① A−ア　　　B−ウ　　　　② A−イ　　　B−ウ
③ A−ア　　　B−エ　　　　④ A−イ　　　B−エ

7 「人種や言葉、文化が違っても協力し合うことが、世界の平和や安全につながる」という考え方があります。これと正反対の行動を、①〜④から一つ選びなさい。

① 災害や争いが起きた国から逃れてきた人を、できるだけ自国に受け入れる。
② 自分たちと異なる宗教の信者だという理由だけで、入国を禁じる。
③ 自分たちの文化に誇りを持つ一方で、異なる文化も尊重する。
④ 外国から来る旅行客のため、道路標識や案内板に英語なども書き添える。

12 情報社会に生きる

● あふれる情報との付き合い方を学ぼう

Step 1　ここが大切　｜　基本のことば

◎ 一度に大勢の人に情報を伝える「マスメディア」

　暮らしに必要な知識やデータ（文章や映像、音声など）を、まとめて情報といいます。天気予報や、プロ野球の試合結果なども情報の一例です。情報を一度に多くの人に伝えるテレビや新聞、ラジオ、雑誌をマスメディアといいます。それぞれに長所と短所があります。

◎ コンピューターやインターネットが暮らしを変える

　今の社会では、多くのコンピューターが使われています。身近な例はパソコンやスマートフォン（スマホ）です。人工知能（AI）にも欠かせません。コンピューターやインターネット（ネット）を使って情報を処理したりやり取りしたりする技術を、情報通信技術（ICT）といいます。ICTの発達で私たちの生活は便利になってきました。一方で、パソコンがコンピューターウイルスに感染し、個人情報が盗まれるといった問題も起きています。

◎ 考えよう 情報との付き合い方

　フェイスブック、X（ツイッター）といったSNS（ネット交流サービス）は誰とでも手軽にやり取りできる半面、知り合った大人にだまされるなど子どもが被害に遭う例も後を絶ちません。

　ネット上には、誤った情報もたくさん流れています。例えば新型コロナウイルスの感染が広がる中、ウイルスやワクチンなどに関するデマ（うそ）や不確かな情報がSNSなどでたくさん出回りました。どれが正しい情報なのか、自分で見極める力を身につけることが大切です。

Step 2　わかるかな？　｜　確認テスト

☞ 正答例は61ページ

★ 情報を一度に大勢に伝えるテレビや新聞を「マス（①　　　　　　）」といいます。

★ パソコンやスマートフォン（スマホ）で（②　　　　　　　）に接続すると、多くの情報を入手できます。その一方で、パソコンが「コンピューター（③　　　　）」に感染して「（④　　　　）情報」が盗まれるといった問題も起きています。

★ フェイスブックやX（ツイッター）などの（⑤　　　　　）は誰とでも手軽にやり取りできます。その半面、子どもが（⑤）を通じて被害に遭う例が後を絶たず、注意が必要です。

社会・環境

37

 **Step 3** **N検にチャレンジ！** | **練習問題** 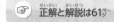 正解と解説は61ページ

□
□ **1** 私たちは手に入れたい情報の種類に応じて、適切な入手方法を選ぶ必要があります。目的と方法の正しい組み合わせを、①〜④から一つ選びなさい。

① その日に実施された選挙の結果をいち早く知りたい——週刊誌
② 昨日のできごとを、印刷された文章で詳しく読みたい——新聞
③ その日のプロ野球の試合の様子を映像で見たい——ラジオ
④ 学校であす実施されるテストについて、友達に尋ねたい——テレビ

□
□ **2** 天気予報はさまざまな職業の人に役立っています。「あすは暑い一日になるでしょう」という天気予報を聞いた時、それぞれの職業にかなった行動の例として最も適切なものを、①〜④から一つ選びなさい。

① コンビニエンスストアの店長：アイスクリームや冷たい飲み物を多く仕入れる。
② 電器店の店長：電気ストーブを多く仕入れる。
③ 漁業を営む人：翌日は必ず海が荒れるので、漁を中止する。
④ 役場の職員：川の堤防が壊れていないか調べに行く。

□
□ **3** 次のグラフは、インターネット・ゲーム依存の疑いのある小学生の割合の変化を表したものです。グラフの内容として正しいものを、①〜④から一つ選びなさい。

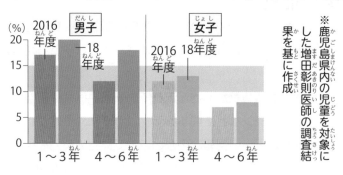

① 依存が疑われる児童の割合が一番高いのは、2016年度の1〜3年男子だ。
② 依存が疑われる児童の割合が一番低いのは、2018年度の4〜6年女子だ。
③ 男女・学年を問わず、2016年度より2018年度の割合が低い。
④ 男女・学年を問わず、2016年度より2018年度の割合が高い。

38 ● 情報社会に生きる

4 ＳＮＳ（ネット交流サービス）の特徴の例に当てはまるものを、①〜④から一つ選びなさい。

① 発信した情報を、自分の知らない人に見られることは決してない。
② いったん広がった情報は、完全に消すことが難しい。
③ ＳＮＳ上に載っている情報は、そのまま信じることができる。
④ ＳＮＳを使うことで、現実の犯罪に巻き込まれることはない。

5 次の写真は、店のレジで、客のスマートフォン（スマホ）の画面に店員が専用タブレットをかざし、スマホに表示された「ＱＲコード」を読み取っている光景です。これは、一部の飲食店などで使われている「キャッシュレス」の例です。何をするための方法だと考えられますか。正しいものを①〜④から一つ選びなさい。

① 店の預金口座から、客が現金を引き出す方法
② インターネット通信販売を使って店が商品を買う方法
③ 客が現金を使わずに、買い物の支払いを済ませる方法
④ 客のスマホに記録された全情報を、店に提供する方法

6 日本では最近、人工知能（ＡＩ）の技術などを活用した「スマート農業」が注目されています。「スマート農業」の例に当てはまらないものを①〜④から一つ選びなさい。

① ドローン（無人航空機）で、イネの育ち具合などを上空から確認する。
② 自動運転の無人トラクターを使って、その土地に適した肥料をまく。
③ スマートフォンのアプリに農作業の内容を記録し、費用などを計算する。
④ 農作業の経験や勘を頼りに、果物の収穫時期を決める。

▲ 参議院の本会議場に集う国会議員ら

 Step 1 ここが大切 | 基本のことば

◉ 国の政治は「三権分立」 地方自治を担う首長と議会

　政治とは大まかに言えば、国やそれぞれの地域を治め、国民・住民にとって望ましい社会にしていく仕事です。日本では「国の政治」と「地域の政治（地方自治）」がそれぞれ、日本国憲法（☞44㌻）や法律などに基づき、〝主役〟である国民・住民の意見を生かして進められます。

　国の働きには、「立法」「行政」「司法」の三つがあります。日本では、これらを国会、内閣、裁判所という別々の機関が担当し（☞41㌻）、チェックし合う仕組みです。これを「三権分立」といいます。国会議員は国民による選挙で選ばれ、全国民の代表として法律づくりなどを担います。国の政治の代表的なテーマは、国民全体に関係する外交、防衛などです。

　これに対し、地域の政治は住民の暮らしに密着した警察や消防、福祉、教育といった仕事が中心です。**地方自治体**（地方公共団体）の**首長**（都道府県知事や市区町村長）、**議会**の議員がどちらも住民による選挙で選ばれ、住民代表として働きます（☞41㌻）。

◉ 増える国・自治体の借金 将来世代の負担に

　国民・住民や企業が納める**税金**は、国や地方自治体の仕事に使われます。ところが税金だけでは足りないため、国は**借金**（国債の発行）を重ねてきました。お年寄りを支える年金・介護などに必要なお金が膨らんでいるうえ、2019年以降に広がった新型コロナウイルスの対策に、たくさんのお金が必要になったためです。国と自治体の借金合計額は増え続け、大きな問題になっています。将来の世代に負担を回しているためです。

Step 2 わかるかな? | 確認テスト ☞ 正答例は62㌻

★ 日本では、「立法」「行政」「司法」という国の働きを、国会、内閣、裁判所という別々の機関が担い、互いにチェックし合う仕組みを取っています。これを（①　　　　　　）といいます。

★ 地域の政治は、地方（②　　　　　　）が住民の意見を基に進めます。知事・市区町村長といった（③　　　　　　）と、議会の（④　　　　　　）が共に住民代表として働きます。

★ 国や地方（②）の仕事に必要なお金は、国民・住民や企業が納める（⑤　　　　　）でまかなうのが本来のあり方です。しかしそれだけでは足りず、（⑥　　　　　）が膨らんできました。

国の政治の主な仕組み

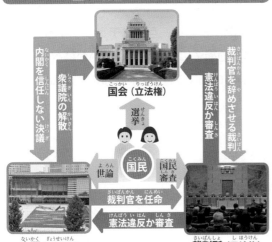

国会（立法権）

内閣を信任しない決議
衆議院の解散
選挙
裁判官を辞めさせる裁判
憲法違反か審査

国民
世論
国民審査

裁判官を任命
憲法違反か審査

内閣（行政権）
裁判所（司法権）

◎**国会**……法律（国のルール）を作る「国の唯一の立法機関」。内閣の案を審議して、予算（お金のやりくりの計画）も決める。

◎**内閣**……国会が決めた法律や予算に基づき、国の行政を取り仕切る。内閣のトップが**内閣総理大臣（首相）**。

◎**裁判所**……罪を犯した疑いのある人を裁いたり、個人や会社同士のトラブルを解決したりする。くじで選ばれた国民が裁判官と共に裁判の一部を担う**裁判員制度**もある。

■国のお金の使い道（予算）

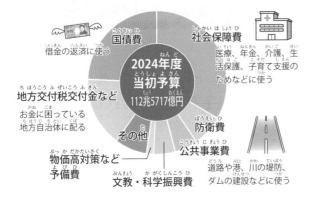

国債費
借金の返済に使う

社会保障費
医療、年金、介護、生活保護、子育て支援のためなどに使う

2024年度
当初予算
112兆5717億円

地方交付税交付金など
お金に困っている
地方自治体に配る

予備費
物価高対策など

その他

公共事業費
道路や港、川の堤防、ダムの建設などに使う

防衛費

文教・科学振興費

●国が集める税金の例

消費税（買い物にかかる）

所得税や法人税（個人や会社がかせいだお金にかかる）

地域の政治の主な仕組み

首長
首長を信任しない決議
議会
解散
辞めさせることを請求
選挙
選挙 解散を請求

住民

◎**首長（都道府県知事や市区町村長）**……議会が決めた予算や条例（地方自治体のルール）に基づき、住民サービスなど地域の行政を取り仕切る。

◎**議会**……条例を作る。首長の案を審議して、予算も決める。

■全国の地方自治体のお金の使い道（決算*）

借金の返済に使う
公債費
民生費
お年寄りや障害者などの施設や、生活保護などに使う

その他

2021年度
123兆
3677億円

教育費
小中学校の校舎を建てたり、先生の給料の一部にあてたりするなど、教育に関することに使う

土木費

*決算とは、一つの年度が終わった後、実際の収入と支出を計算することです。2021年度は前年度よりわずかに減りましたが、新型コロナ対策などのため、全体で2019年度よりも約24％増えました。

●地方自治体が集める税金の例

住民税（その地域の個人や会社にかかる）

事業税（個人や会社の事業にかかる）

国の仕事に必要なお金は、税金だけではまかなえていない。このため、借金を重ねているんだ。お金のやりくりに困っている地方自治体も多い。消費税の税率引き上げ（8％→10％、2019年）は、国の借金を減らすのが主な目的だったんだ。

政治

Step 3 　N検にチャレンジ！ | 練習問題

正解と解説は62ペ゚ー

1 次の図は、国の三つの働きを別々の機関が担当し、互いにチェックする仕組み（三権分立）を示しています。「法律が日本国憲法に違反していないか調べる」ことは、どの矢印に当てはまりますか。正しいものを①〜④から一つ選びなさい。

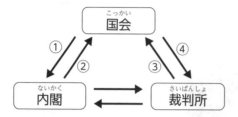

2 この建物＝写真＝の中では、多くの人たちが法律を作ったり改正したりする話し合いをしています。東京都内にあるこの建物の名前を、①〜④から一つ選びなさい。

① 国会議事堂
② 最高裁判所
③ 東京都庁
④ 国立国会図書館

3 国の働きのうち「司法」を担う機関を【　A　】といいます。【　A　】は例えば、日本国憲法や法律に基づき、【　B　】。【　A　】【　B　】に当てはまるものの正しい組み合わせを、①〜④から一つ選びなさい。

① A－内閣　　　　B－外国と条約（国同士の約束）を結びます
② A－内閣　　　　B－罪を犯した疑いのある人を裁きます
③ A－裁判所　　　B－外国と条約（国同士の約束）を結びます
④ A－裁判所　　　B－罪を犯した疑いのある人を裁きます

4 日本で「内閣」と同じ意味で使われることがある言葉を、①〜④から一つ選びなさい。

① 大統領　　　② 県議会　　　③ 市議会　　　④ 政府

5 ナツキさんのクラスでは、運動会で踊るダンスの曲を、みんなが意見を出し合ったうえで決めることになりました。最も多くの人の意見を生かすには、どのような決め方がよいですか。最も適切なものを、①〜④から一つ選びなさい。

① 多数決で決める。　　　　② くじ引きで決める。

③ じゃんけんで決める。　　④ 先生が一人で決める。

6 私たちが暮らす地域ごとに、課題や住民の願いは異なります。こうした課題や願いに取り組む政治は、国ではなく地方自治体（地方公共団体）が住民の意見に基づいて進めます。このような仕組みを何といいますか。正しい言葉を、①〜④から一つ選びなさい。

① 国民主権　　② 地方自治　　③ 国事行為　　④ 年中行事

7 日本では普通、決められたルール（曜日や場所など）通りに家庭のごみを出せば、ごみ収集車が持って行ってくれます。こうしたごみの収集や処理の仕事を担当しているのはどのような機関ですか。正しいものを①〜④から一つ選びなさい。

① コンビニエンスストア　　　② 消防署
③ 郵便局　　　　　　　　　　④ 市町村役場

8 税金は、私たちの暮らしのさまざまな場面に関係し、例えば【　　】を買うために使われています。日本で普通、【　　】に当てはまらない文言を、①〜④から一つ選びなさい。

① 役所が公園の遊具
② 小学生がおもちゃ
③ 警察署が新しいパトカー
④ 市立図書館が本

9 買い物にかかる消費税の税率は、日本では現在10％ですが、暮らしに欠かせない食料品や飲み物の一部は8％です。例えば、1000円（消費税は含みません）の食料品を家で調理するために買ったら、消費税と合わせてレジでいくら払うことになりますか。正しいものを①〜④から一つ選びなさい。

① 1030円　　② 1050円　　③ 1080円　　④ 1100円

14 憲法と私たちの暮らし

🔺 日本国憲法の原本

 Step 1 ここが大切 ｜ 基本のことば

◉ 憲法は国の最高ルール

日本国憲法は、国のあり方（政治の仕組みなど）の基本を定める最高の決まり（**最高法規**）です。法律も国の決まりですが、憲法に違反する法律は無効です。

この憲法は、第二次世界大戦が終わった翌年の1946年に**公布**され、1947年に**施行**されました。**改正**されたことは一度もありません。公布は国民に知らせること、施行は効き目を持たせることです。憲法の公布日、施行日はそれぞれ**国民の祝日**になっています。

◉ 憲法の３大原理と基本的人権

日本国憲法には、**国民主権、基本的人権の尊重、平和主義**という３大原理（３大原則）があります。基本的人権には、①誰もが差別を受けず平等である権利（例：法の下の平等）②国から制限されず、自由に活動する権利（例：言論・出版の自由）③人間らしい暮らしを国に求める権利（例：生存権）──などがあります。

一方、憲法は国民の３大義務を定めています。このうち**子どもに教育を受けさせる義務**は、子どもの「教育を受ける権利」を守るために定められた親の義務です。ほかの二つの義務は、**仕事に就いて働く義務、税金を納める義務**です。

◉ 象徴天皇が担う「国事行為」

憲法は天皇を「**日本国の象徴**」「**日本国民統合の象徴**」と定めています。天皇は憲法で定められた**国事行為**を内閣の助言と承認に基づいて行い、政治に対する権限はありません。

 Step 2 わかるかな？ ｜ 確認テスト

☞ 正答例は62ページ

★ 日本国憲法は国のあり方の基本を定める「（① 　　　　　）法規」です。憲法に（② 　　　　　）する法律が無効なのは、そのためです。

★ 憲法は1946年11月３日に公布され、翌1947年５月３日に（③ 　　　　　）されました。

★ 憲法の３大原理（３大原則）は、（④ 　　　　　）主権、基本的人権の尊重、（⑤ 　　　　　）主義です。

★ 天皇は、憲法で「日本国」と「日本国民統合」の（⑥ 　　　　　）と定められています。

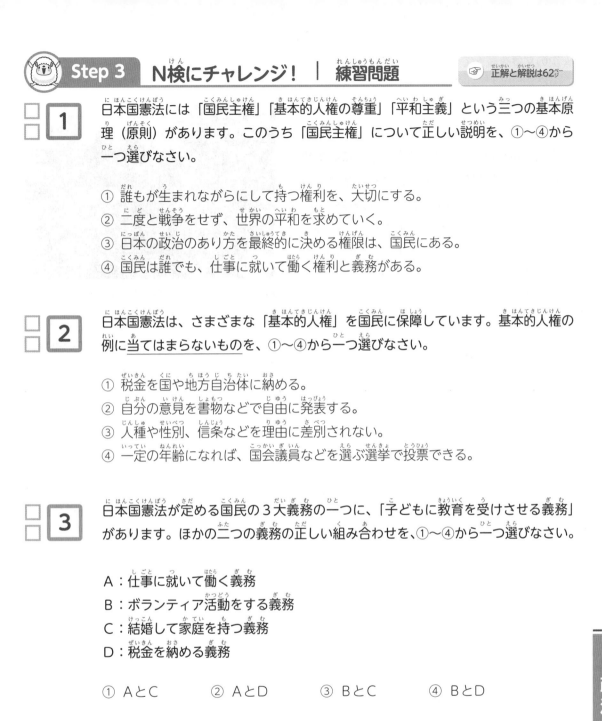

1 日本国憲法には「国民主権」「基本的人権の尊重」「平和主義」という三つの基本原理（原則）があります。このうち「国民主権」について正しい説明を、①〜④から一つ選びなさい。

① 誰もが生まれながらにして持つ権利を、大切にする。
② 二度と戦争をせず、世界の平和を求めていく。
③ 日本の政治のあり方を最終的に決める権限は、国民にある。
④ 国民は誰でも、仕事に就いて働く権利と義務がある。

2 日本国憲法は、さまざまな「基本的人権」を国民に保障しています。基本的人権の例に当てはまらないものを、①〜④から一つ選びなさい。

① 税金を国や地方自治体に納める。
② 自分の意見を書物などで自由に発表する。
③ 人種や性別、信条などを理由に差別されない。
④ 一定の年齢になれば、国会議員などを選ぶ選挙で投票できる。

3 日本国憲法が定める国民の3大義務の一つに、「子どもに教育を受けさせる義務」があります。ほかの二つの義務の正しい組み合わせを、①〜④から一つ選びなさい。

A：仕事に就いて働く義務
B：ボランティア活動をする義務
C：結婚して家庭を持つ義務
D：税金を納める義務

① AとC　　② AとD　　③ BとC　　④ BとD

4 日本国憲法は【　　】を「日本国の象徴」「日本国民統合の象徴」と定めています。【　　】に当てはまる言葉を、①〜④から一つ選びなさい。

① 天皇　　　　　　　　② 国会議員
③ 内閣総理大臣（首相）　④ 都道府県知事

政治

★次の文章を読んで、問5、6に答えなさい。

　日本国憲法は、1946年に公布されました。多くの人たちの命を国内外で奪った【　A　】世界大戦が終わった翌年のことです。このため憲法は、「戦争の惨禍」が二度と起きないようにする、と前文で誓っています。9条は戦争の放棄や、戦力を持たないことを定めています。

　近年、「憲法を改正すべきか」「改正するなら、どう変えるか」について、国会で話し合う機会が増えています。改正のテーマはさまざまですが、特に大きく意見が分かれているのが、「9条」です。日本の平和と独立を守ることを主な任務とする【　B　】が9条に違反しているかいないか、昔から論議されてきました。「9条を改め、【　B　】の存在をはっきり示すべきだ」という意見もあれば、「平和主義の柱である9条を改正すべきでない」という意見もあります。

　日本国憲法は、日本という国のあり方の基本を定める【　C　】です。このため法律よりも改正のハードルが高く、国会が示す改正案を認めるかどうかは、【　D　】が投票によって最終的に決めます。

能登半島地震で壊れた建物のがれきを撤去する【　B　】の人たち＝石川県輪島市で2024年1月

□ **5** 【　A　】【　B　】に当てはまる言葉の正しい組み合わせを、①〜④から一つ選びなさい。

① A－第一次　　　B－警察
② A－第一次　　　B－自衛隊
③ A－第二次　　　B－警察
④ A－第二次　　　B－自衛隊

□ **6** 【　C　】【　D　】に当てはまる言葉の正しい組み合わせを、①〜④から一つ選びなさい。

① C－国際ルール　　　D－国際連合（国連）
② C－最高法規　　　D－国民
③ C－国際ルール　　　D－国民
④ C－最高法規　　　D－国際連合（国連）

15 選挙と政治の課題

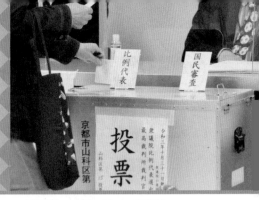

🔺 投票箱に１票を投じる有権者

 Step 1 ここが大切 ｜ 基本のことば

◎ 下がる投票率、課題に

　国会は衆議院と参議院からなります（２院制）。衆議院議員の任期は**４年**です。任期途中で衆議院が**解散**されると、総選挙が実施されます。参議院議員の任期は**６年**で、解散の制度はありません。３年ごとの参議院議員選挙（参院選）で全議席の半数ずつ選び直します。一方、地方自治体の**首長**、議会の**議員**はそれぞれ住民の選挙で選ばれ、任期は**４年**です。

　どの選挙でも、投票する権利（**選挙権**）は「18歳以上」の国民にあります。立候補できる年齢は選挙の種類によって異なります。今後の政治を託す代表者を私たちが選ぶ大事な機会が、選挙です。しかし**投票率**は下がる傾向が見られ、特に若い世代で低いことが課題です。

◎「18歳成人」を巡り、心配も

　世の中で一人前として扱われ始める**成人年齢**（成年年齢）は2022年４月、「**20歳**」から「**18歳**」に引き下げられました。18、19歳でも親の同意なしにクレジットカードなどの契約が結べるようになりましたが、「悪質業者の標的になりかねない」と心配する声もあります。

◎ 未解決の領土問題 沖縄県に集中するアメリカ軍基地

　日本はロシアとの間で**北方領土**（北海道）、韓国との間で**竹島**（島根県、韓国名・独島）を巡る領土問題を抱えています。冷静な話し合いによる解決が求められています。

　国内には約80の**アメリカ軍基地**があります。**自衛隊**と共に日本を守るためですが、基地の約**７割**（面積で計算）は**沖縄県**に集中し、県民は騒音や事件・事故の危険性に苦しんでいます。

 Step 2 わかるかな？ ｜ 確認テスト

 正答例は63ページ

★ 国会議員のうち（①　　　　　　　　）議員の任期は４年、（②　　　　　　　）議員は６年です。

★ 政治を託す代表者を決める大事な選挙ですが、（③　　　　　　　）の低下が課題です。

★ 成人年齢は2022年４月、「20歳」から「（④　　　　　）歳」に引き下げられました。

★ 日本にとって「北方（⑤　　　　　　　）」（北方四島）は、昔から日本の（⑤）です。しかし現在はロシアが占拠しています。日本と韓国の間にも（⑤）問題があります。

★ 日本にあるアメリカ軍基地の約７割（面積で計算）は（⑥　　　　　　　）県にあります。

政治

1 日本では、国会議員を選ぶ選挙などで、特に【　　　】の投票率が低いことが問題とされています。【　　　】に当てはまる言葉を、①〜④から一つ選びなさい。

① お年寄り　　　　　　　② 若い人
③ 農家の人　　　　　　　④ サラリーマン

2 「都道府県の知事」「市長」「町長」「村長」という役職の全てに当てはまる説明を、①〜④から一つ選びなさい。

① 男性しか就任できない決まりになっている。
② 新聞やテレビでは「首相」と呼ばれる。
③ 住民が投票する選挙によって選ばれる。
④ 全国で47人分しかない役職だ。

3 日本の国会は【　　　】という二つの議院からなります。二つの議院でそれぞれ話し合うことによって、国の政治の方針を慎重に決めることができます。【　　　】に当てはまる議院名を、①〜④から一つ選びなさい。

① 第一院と第二院　　　　② 衆議院と参議院
③ 衆議院と貴族院　　　　④ 下院と上院

4 次のA〜Cが全て当てはまる都道府県名を、①〜④から一つ選びなさい。

A：鹿児島県よりも南にあり、サトウキビの栽培が盛んだ。
B：多くの屋根や門の上に、「シーサー」＝写真＝がそなえられている。
C：普天間飛行場をはじめ、多くのアメリカ軍基地がある。

① 北海道
② 東京都
③ 大阪府
④ 沖縄県

★次の文章を読んで、問5、6に答えなさい。

　今の小中学生は、(ア) 18歳になるのと同時に大人として扱われます。
　世の中で一人前として扱われ始める成人年齢 (成年年齢) は明治時代から100年以上、「【　A　】歳」と決まっていました。しかし法律が2018年に改められ、18、19歳も2022年4月から、一人前として扱われることになったのです。
　日本の政治は、法律の上でさまざまなことができるようになる年齢を「【　A　】歳」から「18歳」に引き下げる方向で動いてきました。18、19歳の人たちが【　B　】の仲間入りをしたのは、その一例です。法律が改正され、選挙権を持つ年齢が「18歳以上」に引き下げられたためです。高校生の一部を含む18、19歳は2016年以降、年上の人たちに交じって1票を投じています。

選挙で投じる1票が世の中を変えるかもしれない

□ **5** 下線部（ア）に関連して、今の18歳がしてはならないこと（法律で禁じられていること）を、①〜④から一つ選びなさい。

① 会社で働くこと　　　　② お酒を飲むこと
③ 大学に入学すること　　④ 選挙で投票すること

□ **6** 【　A　】【　B　】に当てはまるものの正しい組み合わせを、①〜④から一つ選びなさい。

① A－20　　B－有権者　　　② A－20　　B－有力者
③ A－25　　B－有権者　　　④ A－25　　B－有力者

□ **7** 日本で最も北にある島は【　　　】です。これを含む北方領土 (北方四島) は昔から日本の領土ですが、今はロシアに占拠されています。次の地図も参考に、【　　　】に当てはまる島の名前を、①〜④から一つ選びなさい。

① 南鳥島
② 沖ノ鳥島
③ 与那国島
④ 択捉島

オホーツク海
国後島
色丹島
北海道
歯舞群島

16 日本と関係の深い国々

🔵 ジャイアントパンダは中国との友好の印だ
＝上野動物園で

 Step 1 ここが大切 ｜ 基本のことば

◎ **世界最大の経済大国アメリカ**

　アメリカは世界最大の経済大国で、日本にとって政治や文化のつながりも深い国です。日本とアメリカ両方の国で活動する会社は多数あります。ハンバーガーや野球はアメリカからもたらされて日本に根づいた文化です。現在はバイデンさんが大統領を務めます。

◎ **日本とつながりが深い中国**

　日本と**中国**は1000年以上前からつながりがあり、漢字や毛筆習字は中国から伝わりました。現在は日本にとって最大の貿易相手国で、日本の会社が世界で最も多く進出している国です。人口は約14億人で日本の約11倍、面積は約960万平方㌔㍍で日本の約26倍と大きな国です。
　アメリカと中国は、さまざまな**人種**や**民族**が暮らしている点では似ています。

◎ **日系人が多く住むブラジル**

　韓国は日本と同じ東アジアの国で、漬物の「**キムチ**」、女性の伝統的な民族衣装「**チマ・チョゴリ**」などが有名です。**ロシア**は、世界で最も面積の大きい国です。約1700万平方㌔㍍で、日本の約45倍です。一方、最も面積の小さい国はイタリアの首都ローマの中にある**バチカン**（0.44平方㌔㍍）です。人口が世界で最も少ない国でもあります。
　南アメリカ大陸にある**ブラジル**には、日本から渡った**移民**の子孫（**日系人**）が多く住んでいます。**コーヒー豆**の産地としても知られています。

 Step 2 わかるかな？ ｜ 確認テスト　　 正答例は63㌻

★ ハンバーガーや野球は（①　　　　　　　　）からもたらされて日本に根づいた文化です。
★ （②　　　　　　　　）や毛筆習字は昔、中国から日本に伝わりました。
★ 女性が着る「（③　　　　　　　　）・チョゴリ」は、韓国など朝鮮半島の民族衣装です。
★ 世界で最も面積の大きい国は（④　　　　　　　　）で、最も小さい国はイタリアの首都ローマの中にある（⑤　　　　　　　　）です。
★ ブラジルには、日本から渡った（⑥　　　　　　　　）の子孫が大勢住んでいます。

50

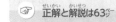

1 現在の【　　　】の大統領は、バイデンさん＝写真＝です。【　　　】の大統領選挙は4年に1度行われ、大きな注目を集めます。【　　　】に当てはまる国名を、①〜④から一つ選びなさい。

① イギリス　　　② アメリカ　　　③ オーストラリア　　　④ ロシア

2 次の地図で、A〜Dは日本と関係が深い主な国々です。場所と国名の正しい組み合わせを、①〜④から一つ選びなさい。

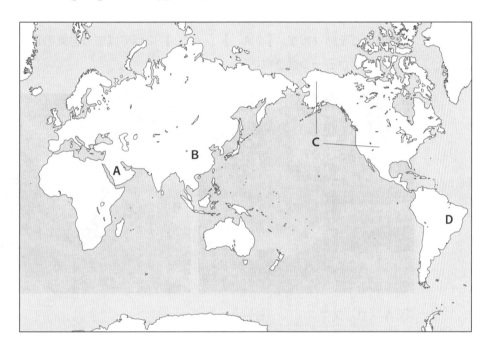

① A－ブラジル　　　　　　② B－ロシア
③ C－アメリカ　　　　　　④ D－サウジアラビア

3 次のA〜Cが全て当てはまる国を、①〜④から一つ選びなさい。

A：「ハングル」という文字が使われている。
B：冬に備え、大量のキムチを一度に漬け込む風習がある。
C：「チマ・チョゴリ」と呼ばれる伝統的な民族衣装がある。

① 中国　　　② シンガポール　　　③ 韓国　　　④ ブラジル

国際

□ **4** 世界で最も面積の大きい国は【 A 】です。最も面積の小さい国は【 B 】です。
【 A 】【 B 】に当てはまる国名の正しい組み合わせを、①～④から一つ選び
なさい。

① A－日本　　　　B－インド
② A－バチカン　　B－ロシア
③ A－インド　　　B－日本
④ A－ロシア　　　B－バチカン

□ **5** アメリカやヨーロッパの春や秋の祝祭が、日本でイベントとして盛んになりました。
特に毎年秋の「【 A 】」は人々が仮装したり、カボチャをかたどったグッズを飾
りつけたりして盛り上がります。また、春の「【 B 】」は、ウサギの絵柄や卵形
の菓子などを飾ります。【 A 】【 B 】に当てはまる言葉の正しい組み合わせ
を、①～④から一つ選びなさい。

⑥【 A 】のシンボル「カボチャ」

⑥手作りの飾りをつけた【 B 】エッグ

① A－クリスマス　　　B－イースター
② A－クリスマス　　　B－バレンタインデー
③ A－ハロウィーン　　B－イースター
④ A－ハロウィーン　　B－バレンタインデー

□ **6** 次の①～④は、アメリカ、中国、オーストラリア、サウジアラビアのいずれかの説
明です。このうち、アメリカと中国の両方に当てはまるものを一つ選びなさい。

① さまざまな民族や人種の人たちが一緒に暮らしている。
② 1000年以上前から日本とつながりがある。
③ 国民の大半がイスラム教を信仰している。
④ 南半球の国で、日本のほぼ真南にある。

17 平和な世界を求めて

🔺 原爆慰霊碑に花を供える主要国の首相ら
＝広島市で2023年5月

Step 1　ここが大切　｜　基本のことば

◉ 日本は唯一の被爆国

　日本は、**核兵器**の一種、**原子爆弾（原爆）**の攻撃を戦争で受けた唯一の被爆国です。第二次世界大戦末期の1945年、**広島市**（8月6日）と**長崎市**（8月9日）にアメリカ軍が原爆を落とし、熱線や爆風、放射線により、多くの人が犠牲になりました。

　世界には今も、ロシア、アメリカを中心にたくさんの核兵器があります。

◉ 世界を分断した（東西）冷戦

　第二次世界大戦直後、世界平和を目指して**国際連合（国連）**が設立されました（2023年末時点で193カ国が加盟）。しかし、**アメリカ**と当時の**ソ連**（今のロシア）は、仲間の国々を率いて対立しました。直接戦争はせずに鋭く対立したので、**（東西）冷戦**と呼ばれます。

　欧州連合（EU）は、ヨーロッパの国々が地域の平和を願って作ったグループです。イギリスが2020年に離脱し、2023年末時点で27カ国が加盟しています。

◉ 世界平和へ多くの課題

　「冷戦」は1989年に終わりましたが、アメリカとロシアは今、再び激しく対立しています。最大の対立点は、ロシアが2022年、隣の国・ウクライナに一方的に攻め込み、一部をロシアの領土だと主張していることです。アメリカとその仲間の国々は、日本も含め、ロシアの主張を認めていません。世界にはほかにも、貧困や飢えなど課題がたくさんあります。世界のさまざまな宗教のうちキリスト教、イスラム教、仏教は普通、**世界3大宗教**と呼ばれます。

Step 2　わかるかな？　｜　確認テスト

正答例は64⚡

★ 日本は、（①　　　　　　　　　）の一種である原子爆弾で攻撃を受けた唯一の国です。

★ 第二次世界大戦直後、世界平和を目指して（②　　　　　　　　）（国連）が設立されました。

★ （③　　　　　　　）とは、アメリカと（④　　　　　　　　）が仲間の国々を率いて鋭く対立していた状態のことです。

★ ヨーロッパの国々は地域の平和を願い、（⑤　　　　　　　　）（EU）を作りました。

★ 世界3大宗教とは普通、キリスト教、（⑥　　　　　　　）教、仏教を指します。

国際

□
□ 1　過去に世界で多くの戦争が起きましたが、日本の新聞やテレビが単に「戦後」というと、普通は【　　】が終わった1945（昭和20）年夏以降のことを指します。【　　】に当てはまる言葉を、①〜④から一つ選びなさい。

① 日清戦争　　　　　　　　　② 第一次世界大戦
③ 第二次世界大戦　　　　　　④ ベトナム戦争

□
□ 2　世界遺産に登録されている原爆ドーム（広島市）＝写真＝は、「負の遺産」とも呼ばれます。この言葉にはどのような思いが込められていますか。その例として正しいものを、①〜④から一つ選びなさい。

① 「悲劇や過ちを二度と繰り返してはいけない」
② 「もう二度と戦争に負けたくない」
③ 「衰えてしまった経済を盛り返したい」
④ 「負担になっている借金を減らしたい」

□
□ 3　【　A　】は世界平和を守るため、第二次世界大戦が終わった年に発足し、現在は日本を含む190カ国以上が加盟しています。「EU」も、地域の平和を願って【　B　】の国々が作ったグループです。【　A　】【　B　】に当てはまる言葉の正しい組み合わせを、①〜④から一つ選びなさい。

① A－欧州連合　　　　　　　B－アジア
② A－欧州連合　　　　　　　B－ヨーロッパ
③ A－国際連合（国連）　　　B－アジア
④ A－国際連合（国連）　　　B－ヨーロッパ

□
□ 4　地球上で過去に起きた戦争で、[a] 敵国を核兵器で攻撃した国、[b] 敵国から核兵器による攻撃を受けた国──は、それぞれ１カ国だけです。[a] [b] に当てはまる国名の正しい組み合わせを、①〜④から一つ選びなさい。

① a－ドイツ　　　b－日本　　　② a－ドイツ　　　b－イギリス
③ a－アメリカ　　b－日本　　　④ a－アメリカ　　b－イギリス

5 日本は核兵器を「【　　　】、作らない、持ちこませない」という内容の原則（非核三原則）を掲げています。【　　　】に当てはまる言葉を、①～④から一つ選びなさい。

① 買わない　　　② 持たない　　　③ 壊さない　　　④ 輸出しない

6 世界を平和にするためには、戦争や紛争をなくす努力だけでなく、貧しさや飢えに苦しむ人たちをなくしたり、途上国の国づくりを支援したりすることも大切です。平和のために活動する組織について正しい説明を、①～④から一つ選びなさい。

① ユニセフ：飢えや病気で苦しむ子どもを救う活動をしている。
② 非政府組織（NGO）：国際連合の機関で、紛争を防ぐための活動をしている。
③ 青年海外協力隊：途上国を支援するため、国際連合が派遣している。
④ 赤い羽根共同募金：世界的な組織で、戦争などでけがをした人を治療している。

7 政治、経済、文化などさまざまな分野で国境を超えた交流が進み、地球全体が一つになりつつあることを何といいますか。正しい言葉を、①～④から一つ選びなさい。

① グローバル化　　　② デジタル化　　　③ 砂漠化　　　④ 民主化

8 【　　　】は世界3大宗教の一つで、ムハンマドが始めました。例えば次の写真のように、女性が頭を覆うスカーフなどを身につける慣習でも知られます。多くの原油を日本に輸出しているサウジアラビアでは、国民の多くがこの宗教を信仰しています。【　　　】に当てはまる言葉を、①～④から一つ選びなさい。

① 仏教
② ヒンズー（ヒンドゥー）教
③ キリスト教
④ イスラム教

国際

正解と解説 （「確認テスト」は正答例）

テーマ ① 日本の国土と農林漁業

確認テスト（問題は3ページ）

① 山地　　② 米
③ 急　　　④ 農業
⑤ 林業　　⑥ リアス（式）

練習問題（問題は5、6ページ）

1 ① 同じ月でも、暖かくなるのが早い地域と遅い地域があるためです。ただし単純に南の地域から順に咲き始めるわけではありません。それぞれの地域の気候は、地形や海流、季節風などの影響も受けるためです。

2 ④ 千島列島に沿って南下する親潮には栄養分やプランクトンが多く、それを目当てに魚が集まります。親潮と黒潮が出合う潮目は、東北地方の三陸海岸の沖合にあります。

3 ③ リアス（式）海岸の湾内は波が穏やかで、養殖漁業が盛んです。

4 ② B：北海道の中央部を流れて日本海に注ぐ石狩川は、全長268キロメルで全国3位です。

5 ① 間伐を行うと林の中に適度に光が差し込み、木の幹が太く生育もよくなります。

6 ② 森林にはほかにも▽二酸化炭素（地球温暖化を招くガスの一種）を吸収する▽大雨で山が崩れるのを防ぐ▽雨水をたくわえ、あとでゆっくり川に流す（川があふれるのを防ぐ）──など、多くの働きがあります。

7 ③ 地産地消が進めば、食べ物をトラックで運ぶ距離が短くなり、車の排ガスを減らすことにもつながります。

8 ④ ゴーヤーは主に、沖縄県など暖かい地域で栽培されています。①〜③夏でも涼しい地域は、普通なら秋や冬に収穫する野菜を、夏になってから収穫し、出荷することができます（抑制栽培）。普通と違う時期に出荷すると、珍しいため高い値段で売れます。

9 ② 代表的な平野はほかに、関東平野、越後平野、筑紫平野などがあります。

テーマ ② 暮らしを支える工業

確認テスト（問題は7ページ）

① 自動車　　② 環境
③ 軽　　　　④ 重化学
⑤ 太平洋　　⑥ 中京

練習問題（問題は8、9ページ）

1 ① 製造業で作る製品には、部品を組み立てて作る自動車やテレビ、産業のもとになるプラスチック製品、食料品や家具などがあります。サービス業とは、農林水産業や鉱工業・建設業ではない産業をまとめた呼び方です。②はサービス業、④は農林水産業です。

2 ② イラストが手掛かりになります。

3 ① モーターで走る電気自動車や燃料電池自動車は走っている時、地球温暖化や大気汚染を招く排ガスを全く出しません。モーターとガソリンエンジンの両方を使うハイブリッド自動車も排ガスの量が少ないため、環境にやさしい車に含まれます。②③原油をもとにしたガソリンや軽油を使うため、排ガスが出ます。④こうした技術は現在、自動車ではなく鉄道で利用が進められています。

4 ① A：日本の工業地帯・地域の多くは、太平洋・瀬戸内海沿いにあります。B：中京工業地帯の工業生産額は日本一で、自動車工業を中心とする機械工業が盛んです。

5 ④ ①「化学」の割合に大きな変化はありません。②「化学」は重化学工業、「食料品」は軽工業なので、たとえ内容が正しかったとしても、「工業の中心が重化学工業に移ってきた」という例になりません。③「機械」と「繊維」が逆です。

6 ④ それぞれの地域に古くから伝わる技術を使い、主に手作りで焼き物などを作ります。②職人になるには長い修業が必要です。③全体的には、技術を受け継ぐ後継者が少ないという課題を抱えています。

日本の貿易の特徴は

確認テスト（問題は10ページ）

① 貿易   ② 加工貿易
③ 自動車   ④ 中国
⑤ 関税   ⑥ 千葉

練習問題（問題は12、13ページ）

1 ④ A：日本は、原料・材料や燃料となる資源が少ない国です。BとC：加工貿易とは、輸入した原料・材料に手を加えて製品を作り、輸出することを意味します。

2 ④ この二つのグラフは11ページに載っています。それを見ていなくても、日本にとって貿易額（輸出額と輸入額の合計）が最も大きい相手国が中国だと分かっていれば、④を選べたでしょう。日本の貿易額に占める中国の割合は20.2％、アメリカは13.9％です（2022年）。

3 ① 日本は原油の約4割をサウジアラビアから輸入しています。その次に多い輸入元は、アラブ首長国連邦です。

4 ③ 温暖なブラジルは農業が盛んで、コーヒー豆の生産量は世界一です。Bはフィリピン、Cはアメリカ、Dは中国です。

5 ① 関税の主な目的は▽安い輸入品が出回って国産品が売れなくなるのを防ぐ▽国の税金収入を増やす——の二つです。関税がかかるぶん、輸入品の値段は上がるので、安い輸入品に押されて国産品が売れなくなるのを防げます。しかし、輸出先の国で関税がかかると、普通は輸出が減る方向に働きます。関税を引き下げたりなくしたりすることには、貿易を盛んにして経済を活性化させる狙いがあります。

6 ③ コンテナを使えば、貨物を一つずつ荷づくりせずに済み、荷崩れも防げます。

7 ② 成田国際空港では、飛行機で運びやすい高価で小さなもの（集積回路など）が多く輸出入されます。一方、名古屋港からは近くに生産拠点のある自動車が多く輸出されるなど、港湾・空港によって品目はさまざまです。

エネルギー資源と電力

確認テスト（問題は14ページ）

① 化石   ② 二酸化炭素（CO_2）
③ 放射性   ④ 再生
⑤ 火力   ⑥ 原子力

練習問題（問題は15、16ページ）

1 ① 大昔の生き物がもとになっている点で化石と共通するので、化石燃料と呼ばれます。②たくさん取れるサウジアラビアのような国もあれば、ほとんど取れない日本のような国もあります。③地下に埋まっている量には限りがあります。④出ます。
「原油」とは地下に埋まっている状態のものを指し、これをもとに作るガソリンなどは「石油製品」といいます。しかし、原油のことを単に「石油」と呼ぶ場合もあります。

2 ② 飛行機の動力、家庭の暖房などにも使われます。①天然ガスは都市ガスのもとになります。③日本各地の炭鉱で採掘されていましたが、段々と価格の安い海外産に押され、輸入が主になりました。④「化石燃料」です。

3 ④ ①〜③は事実ではありません。風力や地熱を輸入する必要はありません。

4 ③ このパネルは太陽の光エネルギーを電気エネルギーに変える働きをします。

5 ② このため、再生可能エネルギーとも呼ばれます。①石油などの火力発電と違って、CO_2は出ません。③太陽光発電は天気のいい昼間、風力発電は風が吹いている時に限られます。④これは原子力発電です。

6 ② イは水力、ウは地熱だけに当てはまると分かれば、アは火力と原子力に絞れます。ともに水を熱し、蒸気の力で発電用タービンを回します。その蒸気を冷やして水に戻すため、大量の海水が必要なのです。

7 ③ 火力発電は、燃料を燃やした熱で水蒸気をつくり、水蒸気で大きなタービンを回して電気を生み出します。燃料に石炭を使うと、天然ガスなどより多くの二酸化炭素を排出するため、使用をやめる国も増えています。

売る・買う・食べる

① 消費　　　　② サービス
③ 流通　　　　④ 自動車
⑤ インターネット　⑥ 欧米

練習問題（問題は18、19ページ）

1 ③ 「サービス」とは、商品のうち形がないものです。代表例は、交通（運賃を取って人を運ぶ鉄道、バスなど）、通信（通話料などを取って会話ができるようにする電話など）、教育、医療——などです。

2 ① 県民（市民）生活センター、消費者相談室などさまざまな名前があります。

3 ③ コンビニは「24時間営業」「コピー機」といった言葉が、百貨店は「大きな都市の中心部」「高価なブランド品」といった言葉が手掛かりになったでしょう。Bはスーパー、Dは地域の商店街の説明です。

4 ② 洋服についているタグ（付け札）は、その洋服の素材や、服の性質に合わせた適切な扱い方などを記しています。マークは、洗濯で生地が縮んだり色落ちしたりするのを防ぐため、どんな洗い方や干し方をしたらいいかなどの情報を分かりやすく伝えています。

5 ④ 鉄道や船は、飛行機より遅いです。②モーダルシフトの大きな狙いです。1トン貨物を1キロメートル運んだ時の二酸化炭素の排出量は、船はトラックの5分の1、鉄道は10分の1という調査もあります。モーダルシフトは国も推進していますが、近年はネット通販が広がり、トラック輸送が増えて伸び悩んでいます。

6 ④ A：昔ながらの日本人の「主食」はご飯（米）です。B：「輸入に頼る」「洋風のおかず」から、肉類だと分かります。

7 ① こんなことをしたら、食品ロスが増えてしまいます。日本の食品ロスは年500万トン超で、貧しい国に対する世界全体の食料援助（年約440万トン）より多いです。食品ロスが減って食料の輸入が減れば、食料自給率を上げることにもつながると期待されます。

社会で働くということ

① 賃金（給料）　② 公務員
③ 共働き　　　　④ 残業
⑤ 正規　　　　　⑥ 非正規

練習問題（問題は21、22ページ）

1 ④ 働くことで賃金（給料）を得て、生活します。雇われる側は雇う側よりも弱い立場なので、労働時間や休日などで不利なことを強いられがちです。そのため、会社が守るべきルールや、雇われる人々が雇い主に要求を出す権利などが法律で定められています。

2 ③ 共働き世帯の数が増え、専業主婦がいる世帯は減ってきました。①働く女性はおおむね増えてきました。②平均賃金は男性のほうが高いです。④一般的に、仕事が集まる大都市で働く人のほうが多いとされます。

3 ③ 例えば、従業員を働かせる時間は1日8時間を超えてはいけないと法律で決まっています。例外として、それを超えて働くことを普通、残業といいます。残業時間の上限は、原則として月45時間、年360時間とし、特別の事情がなければこれを超えることはできないと法律で定められています。

4 ② 人を雇うことや、雇われて働くことを雇用といいます。同じ仕事をした人には同じ賃金を支払い、正規雇用と非正規雇用の格差をなくすことは法律でも掲げられています。

5 ④ ①広告のタイトルに「（アルバイト）募集」と書かれています。アルバイトは正社員（正規雇用）ではなく、非正規雇用の一例です。②1日3時間以上働ける人を募集しています。③22時以降は「1250円以上」です。

6 ② ①低くなる傾向にあります。③このグラフで、第2次産業の割合が最も高い年はありません。④第3次産業です。

7 ① これは「介護」ではなく「医療」、つまり医師の仕事です。介護とは、お年寄りや障害のある人が日常生活を送れるように手助けすることです。

確認テスト（問題は23ページ）

① 1
② お年寄り
③ 少子
④ 結婚
⑤ 保育所
⑥ 3大都市

練習問題（問題は24、25ページ）

[1] ④ 第二次世界大戦後、日本の子どもの数は一時期を除き減っています。きょうだいが最も多いBは祖母景子さん、クラス内で本人を含めて2人きょうだいが多いAは母好江さん、一人っ子が多いCはマチさんの可能性が高いです。ただ、家庭によって異なる場合もあります。

[2] ① 生まれる赤ちゃんの数が減る「少子化」と合わせて「少子高齢化」といわれます。③「高学歴化」です。④「未婚化」といい、少子化が進む原因の一つとされます。

[3] ② 結婚する年齢は男女ともに高くなっています。これを「晩婚化」といいます。

[4] ① 保育所に子どもを必ず預けられれば、「子どもを産みたいが仕事を続けられるか」と心配する女性が、出産に前向きになると考えられます。一方で、結婚や出産を望まない人もいます。大切なのは、子どもが欲しいと願う人が安心して子育てできる国にすることです。

[5] ③ 3大都市圏は普通、会社や人が多く集まって経済活動が盛んな東京圏、大阪圏、名古屋圏を指します。特に東京圏に人口が集中している状況は今後も続きそうです。

[6] ① ③④子どもが減るため学校が統合・廃止となったり、地域の伝統的な祭りや行事を守り続けるのが難しくなったりします。

[7] ④ ①～③大都市は大学などが集まり、働く場所も多いです。交通網が発達して人も集まるため、土地の値段も高くなりがちです。

[8] ③ 日本ではお年寄りが増え、生まれる赤ちゃんの数が減っています。この状態が続くと2070年には、働き手として国を支える中心の世代（15～64歳）が2020年と比べて約4割も減ってしまうと予想されます。

確認テスト（問題は26ページ）

① 排水
② 公害
③ 下
④ 二酸化炭素
⑤ プラスチック
⑥ 酸性

練習問題（問題は27、28ページ）

[1] ③ 自動車の多くも騒音の原因になります。①地盤沈下ではなく、大気汚染です。②大気汚染ではなく、水質汚濁です。④地球温暖化ではなく、地盤沈下です。

[2] ① イタイイタイ病は、鉱山排水に含まれる有害物質カドミウムが原因で、骨がもろくなり骨折しやすくなる病気です。

[3] ④ ただ、二酸化炭素のように地球の熱をため込むガスのおかげで、地球は寒くなりすぎず生物がすんでいられます。主に人間の活動のせいで増えすぎたため温暖化が進んでいると考えられています。

[4] ① 「持続可能」は、大量生産・大量消費が進んだ20世紀後半、人間の経済活動が地球の環境問題を招いたという反省から、環境や資源を守り、今だけでなく、ずっと続けていける世界を目指す考え方です。

[5] ③ 使用済みのペットボトルは、食品トレーなどのプラスチック製品や、衣類用の繊維などに生まれ変わります。ちなみに、ごみを減らす「リデュース」、繰り返し使う「リユース」も資源を大切にする方法です。

[6] ② 工場の煙や自動車の排ガスに含まれる物質が、酸性雨の原因です。①騒音ではなく、家庭や工場から出る排水などが原因です。③問題になっているのは、森林が減っていることです。④正しくは「海面が上がり」です。

[7] ② アオイさんの班を●、ほかの班を○とします。多いほうを左として並べると、○○●○○○で、合計6班だと分かります。

[8] ④ プラスチックごみを減らす効果が期待されます。しかし、紙ストローのほうがプラスチック製よりも値段が高いため、導入をためらう店や会社もあります。

テーマ ⑨ 災害列島ニッポン

=== 確認テスト（問題は29ページ） ===

① 自然　　　② プレート
③ 火山　　　④ 津波
⑤ 東北　　　⑥ ハザード

=== 練習問題（問題は30、31ページ） ===

1 ③　日本は火山が多い国です。火山は噴火によって私たちの生活に被害を与えることがあります。その一方、温泉や、発電に利用できる地熱が豊富なのも、火山のおかげです。

2 ②　Ａ：東日本大震災で特に大きな被害を受けたのは、東北地方のうち岩手、宮城、福島の３県です。Ｂ：兵庫県を中心に6434人が亡くなり、３人が行方不明になりました。

3 ②　①魚や野菜は日持ちしないので、非常食には向いていません。③家族がどこに集まるか、安否をどのように確かめ合うかなどを、日ごろから話し合っておきましょう。④何度も家に戻るのは、危険です。

4 ①　狭い地域だけに突然降り出し、予測するのが難しいため、ゲリラ戦（戦争で小規模な組織が、敵が予想しない時に不意打ちなどをする戦い方）にたとえられています。

5 ①　川の氾濫は台風や集中豪雨によって引き起こされます。②「土砂災害」とは、集中豪雨などで山の斜面が緩んで起きる土砂崩れや、さらに大きな被害をもたらす土石流（土砂や岩が水と一体になって斜面を一気に流れ下る現象）などをまとめた呼び方です。③火山の噴火、④竜巻の説明です。

6 ②　Ａ：南海トラフ（静岡県沖から宮崎県沖にかけて延びる海底の溝）沿いを震源とする地震です。Ｂ：東京、神奈川、埼玉、千葉の首都圏で起きる恐れがあるとされる地震です。

7 ④　Ａ：大雨など気象に関する特別警報のほか、震度６弱以上の緊急地震速報なども特別警報の一種です。Ｂ：洪水、土砂崩れなどが起きそうな場所を示すなどして、安全な避難に役立ててもらうのが目的です。

8 ①　「減災」は今後ますます大切になります。

テーマ ⑩ コロナで変わる社会

=== 確認テスト（問題は32ページ） ===

① コロナウイルス　　② 重症化
③ ３密　　　④ マスク
⑤ テレワーク　　　⑥ ワクチン

=== 練習問題（問題は33ページ） ===

1 ③　インフルエンザウイルスによって起こる急性の呼吸器感染症です。感染症の原因には主に「ウイルス」と「細菌」があります。①暑さで体内の水分や塩分のバランスが崩れ、体温を調節する機能が下がって生じる体の不調のことです。②スギなど植物の花粉が原因のアレルギー症状です。④四大公害病の一つである水俣病は、工場排水中のメチル水銀が原因です。

2 ①　「テレワーク」は「tele」（離れた）と「work」（働く）、「リモートワーク」は「remote」（遠い）と「work」を合わせた造語です。例えば東京都では、2020年３月の導入率は24％でしたが、初めて緊急事態宣言が発令された2020年４月に62.7％に跳ね上がりました。しかし、仕事の種類によっては導入が難しく、会社の規模や地域などで導入率には差があります。

3 ①　季節を問わず、繰り返し流行してきました。②2023年に入ってからも感染者は出ています。③「絶対に感染しない」わけではありません。④「着けるかどうかは基本的に、個人が決める」との方針を国は示しています。一方、「病院に行く時などは着けたほうがよい」とも呼びかけています。

4 ④　病気を引き起こす働きを弱めた病原体をもとに作られることが一般的でしたが、新型コロナウイルスワクチンは病原体を作るたんぱく質を原料にする新しい方法で作られました。このワクチンを開発した研究者には、多くの人の命を救ったとして2023年のノーベル生理学・医学賞が与えられました。

共に生きる社会へ

確認テスト（問題は34ページ）

① バリアフリー　　② パラリンピック
③ 介助　　　　　　④ 補助
⑤ アジア

練習問題（問題は35、36ページ）

1 ④ 目の不自由な人にとって、普通の文字の標識は役立ちません。④の標識は、日本に来る外国人のために英語を添えています。①ホームからの転落を防ぎます。②③目の不自由な人のために、危険な場所などを伝えるブロックと、手助けする犬です。

2 ② バリアフリーの一例は、お年寄りや車いすを使う人、目の不自由な人が出歩きやすいように道路や施設の段差をなくすことです。ほかにも点字ブロック、音の出る信号機などが、さまざまな場所で見られます。

3 ③ 「手話通訳」といわれ、耳が不自由な聴覚障害がある人に、声の代わりに手話で言葉を伝えます。求められる場面は増えています。

4 ③ ①あらゆる障害者が利用できる施設だとはっきり示すために使われます。②補助犬の役割を多くの人に知らせるためのマークです。④おなかに赤ちゃんがいる女性が周りの人に理解してもらうため、身につけます。

5 ① 永住許可を持つ人が最も多く、ほかに許可を得て働きに来た人や留学生などがいます。

6 ② 設問文をもとに、「難しい言葉を使っていない」「文が短い」ものを選びます。ア、エはイ、ウよりも長く、「避難」「高台」「ダイヤ」「発生」など難しい言葉を使っているため、適切な例とは言えません。このように工夫した日本語は、「やさしい日本語」とも呼ばれます。

7 ② 特定の宗教に対する差別にあたります。①人種や宗教などを理由に迫害される恐れがあるため、他国に逃れた人々を「難民」といいます。紛争から逃れた人も難民として扱い、難民条約では「強制的に追放したり帰還させたりしてはならない」と定めています。

情報社会に生きる

確認テスト（問題は37ページ）

① メディア　　　　② インターネット
③ ウイルス　　　　④ 個人
⑤ ＳＮＳ（ネット交流サービス）

練習問題（問題は38、39ページ）

1 ② 新聞はインターネット（ネット）やテレビほど素早く情報を伝えることはできません。しかし、詳しい情報を持ち運んで読んだり、とっておいてすぐに見返したりすることができます。①③ネットやテレビ、④メールやＳＮＳ（ネット交流サービス）、電話——などの方法が適切です。

2 ① 暑いと冷たいものがよく売れるはずだからです。②寒い日、④台風など——に備えた行動です。③暑さと直接関係ありません。

3 ④ 男女・学年を問わず、2016年度より2018年度のほうが高いです。正しくは、①2018年度の1〜3年男子、②2016年度の4〜6年女子——です。

4 ② ネット上の情報は、コピーされる可能性もあり、完全に消し去ることは難しいです。①公開範囲の設定などによって、知らない人に見られる可能性があります。③デマ（偽情報）が多く出回っており、そのまま信じては危険です。④他人が自分になりすまし、自分の友達に詐欺をはたらくこともあります。また、例えば他人に対して「死ね」などと何度も書き込むと、罪に問われる可能性もあります。情報の扱いや発信内容には十分注意しましょう。

5 ③ 店のレジでは普通、買い物の支払いをします。①②普通、店のレジではしません。④客がスマホの全情報を店に提供する必要はまずありません。

6 ④ ロボットやＩＴ（情報技術）、ＡＩなどの最新技術を利用する「スマート農業」は、農業の省力化や効率化とともに、農家の減少や高齢化による労働力不足の解決策として注目されています。各メーカーも、ドローンや無人トラクターなどの開発を進めています。

=== 確認テスト（問題は40ページ）===

① 三権分立　　　② 自治体（公共団体）
③ 首長　　　　　④ 議員
⑤ 税金　　　　　⑥ 借金

=== 練習問題（問題は42、43ページ）===

1　③　国会は法律を作る「国の唯一の立法機関」です。その法律について、憲法に違反していないかをチェックするのは裁判所です。こうした役割から、最終的な権限をもつ最高裁判所は「憲法の番人」と呼ばれます。裁判所の権限を、難しい言葉で「違憲審査権（違憲立法審査権）」といいます。

2　①　国の「立法」を担当する唯一の機関が国会です。全国民を代表する議員が国会議事堂に集まり、法律案などについて話し合います。内閣の案を基に国の1年間の予算（収入・支出の計画）を決めるのも国会です。

3　④　A：「司法」を担うのは裁判所です。B：外国と条約を結ぶのは、内閣の仕事です。

4　④　内閣は、内閣総理大臣（首相）と国務大臣からなります。「政府」という言葉は、この内閣と同じ意味で使われる場合がありますが、もう少し幅広く省庁（国の役所）の幹部まで含むこともあります。

5　①　日本の政治では多数決が広く使われており、例えば法律の制定や改正は、国会で国会議員が多数決で決めます。ただし、少数派の意見に耳を傾けることも大切です。

6　②　地方自治体の代表例は、全国に47ある都道府県です。都道府県の中にある市町村や東京都の「特別区」（23区）も自治体です。①日本国憲法の3大原理の一つ、③憲法に基づく天皇の仕事です（☞44ページ）。

7　④　このほか、消防活動、公立小中学校の設置なども市町村の仕事です。

8　②　子どものおもちゃは通常、保護者が購入します。

9　③　食料品1000円にかかる消費税は80円なので、レジで合計1080円を払います。

=== 確認テスト（問題は44ページ）===

① 最高　　　　　② 違反
③ 施行　　　　　④ 国民
⑤ 平和　　　　　⑥ 象徴

=== 練習問題（問題は45、46ページ）===

1　③　日本ではかつて（大日本帝国憲法の時代）、政治のあり方を決める主権が国民にありませんでした。そして、戦争への道を突き進みました。日本国憲法の3大原理はこうしたことへの反省も踏まえています。

2　①　税金を納めること（納税）は、憲法が定める国民の「義務」の一つです。「権利」ではありません。②言論・出版などの自由、③法の下の平等、④政治に参加する権利の一つ——です。

3　②　国民の3大義務は「子どもに教育を受けさせる義務」「仕事に就いて働く義務」「税金を納める義務」です。教育を受けさせる義務は、子どもの「教育を受ける権利」を守るために定められた親の義務です。B、Cは義務ではなく、個人の自由に委ねられています。

4　①　「象徴」とは、気持ちや考えなど形のないものを、形や色、人などに例えて表すことです。天皇が国の象徴であるのは、国のあり方を決める国民みんなの考えに基づいている——と憲法は定めています。

5　④　A：第一次世界大戦は1914年に始まり、1918年に終わりました。B：自衛隊は日本国憲法が施行された後の1954年に発足しました。「日本は持たない」と憲法9条が定めている「陸海空軍その他の戦力」に当たるか、当たらないか——を中心に長年、論議されてきました。

6　②　C：日本国憲法は日本という国のあり方の基本を定めるルールであって、世界の国々に共通する国際ルールではありません。D：憲法を改正するには、国会が具体的な改正案を示し、国民投票で半数を超える賛成を得る必要があります。

テーマ⑮ 選挙と政治の課題

確認テスト（問題は47ページ）

① 衆議院 ② 参議院
③ 投票率 ④ 18
⑤ 領土 ⑥ 沖縄

練習問題（問題は48、49ページ）

1　② 例えば、2022年の参議院議員選挙の投票率（選挙区）は、60歳代は65.69%、70歳代以上が55.72%だったのに対し、20歳代は33.99%でした。若い人の投票率が低いままだと、お年寄りの意見が政治に反映されやすくなる半面、若い人の声が届きにくくなりかねない、と心配されています。

2　③ ①性別に関係なく立候補でき、当選すれば就任できます。②首相とは、国の行政を取り仕切る内閣総理大臣のことです。④これは都道府県の知事だけに当てはまる説明です。

3　② 衆議院と参議院は完全に対等ではなく、内閣から提出された予算案の審議などで衆議院の考えを優先させる決まりがあります。

4　④ A：砂糖の原料になるサトウキビの生産量は、沖縄県が日本一です。B：災いなどから人々を守り、悪霊をはらってくれる魔よけの獅子です。C：日本にあるアメリカ軍基地の約7割（面積で計算）が、国土面積の0.6%しかない沖縄県に集中しています。

5　② 飲酒・喫煙ができるのは20歳以上です。①義務教育（小学校、中学校の9年間）を終えた15歳以上の人は働くことが認められています。③一般的には、高校を卒業した18歳以降に大学に入学します。④文章にもあるように2016年以降、18歳以上の人が選挙で投票できるようになりました。

6　① B：選挙権（選挙で投票する権利）を持っている人を有権者といいます。

7　④ 北方領土は歯舞群島と色丹島、国後島、④の択捉島を合わせた呼び方です。第二次世界大戦で日本が降伏した後、当時のソ連（今のロシア）が占拠を始めました。日本の①最東端、②最南端、③最西端の島です。

テーマ⑯ 日本と関係の深い国々

確認テスト（問題は50ページ）

① アメリカ ② 漢字
③ チマ ④ ロシア
⑤ バチカン ⑥ 移民

練習問題（問題は51、52ページ）

1　② 次の大統領選挙は2024年に行われます。バイデンさんはこれまでのアメリカ大統領で最も高齢で、2023年11月に81歳になりました。もし再び当選した場合は86歳まで務めることになります。

2　③ アメリカは政治、経済、文化など、さまざまな分野で日本と深い関係にあります。A：サウジアラビア、B：中国、D：ブラジル──です。ロシアは中国の北にある国です。

3　③ B：家族や隣人が一緒に大量のキムチを漬ける風習は、分かち合いの精神に基づく「キムジャン文化」として知られ、国際連合教育科学文化機関（ユネスコ）の無形文化遺産に登録されています。C：女性の民族衣装です。

4　④ 世界で最も面積が大きいロシア（約1700万平方キロメル）は日本の約45倍です。一方、バチカンはイタリアの首都ローマの中にあり、面積は0.44平方キロメル、日本の皇居（1.15平方キロメル）の半分以下です。

5　③ ハロウィーン（10月31日）は、ケルト人（古代ヨーロッパの民族）の祭りがもとになっています。イースター（復活祭）はキリスト教の祝祭ですが、日本ではイベントとして広がってきました。A：クリスマスは、12月25日です。B：バレンタインデーは、2月14日です。

6　① アメリカでは白人、黒人や中央・南アメリカからの移民などが暮らしています。中国には漢民族のほか、さまざまな少数民族が住んでいます。②中国に当てはまりますが、アメリカには当てはまりません。③サウジアラビア、④オーストラリア──の説明です。

平和な世界を求めて

確認テスト（問題は53ページ）

① 核兵器　　　② 国際連合
③ （東西）冷戦　④ ソ連
⑤ 欧州連合　　⑥ イスラム

練習問題（問題は54、55ページ）

1 ③ 第二次世界大戦で日本はドイツ、イタリアと共に、アメリカやイギリスといった連合国と戦いましたが、敗れました。

2 ① 広島県産業奨励館という建物でしたが、第二次世界大戦末期の1945年8月6日、アメリカ軍が落とした原子爆弾（原爆）によって破壊されました。原爆がもたらした悲劇を伝えるため保存され、世界遺産（文化遺産）にも登録されました。原爆は8月9日、長崎市にも投下されました。

3 ④ A：国際連合は1945年に設立され、日本は1956年に加盟しました。B：EUとは「欧州連合」の英略語です。

4 ③ 1945年、広島市と長崎市に原子爆弾（核兵器の一種）が投下されました。熱線や爆風、放射線によりこの年だけでも広島で約14万人、長崎で約7万人が亡くなったとみられます。

5 ② 日本は唯一の戦争被爆国として、非核三原則を掲げています。ただし、日本国憲法や法律に明記されているわけではありません。

6 ① ②非政府組織は国や国際連合（国連）に属さない民間団体です。③国連ではなく、日本が派遣しています。④日本国内で行われる募金で、お年寄りや障害者、子どものための活動に使われます。

7 ① 近年、IT（情報技術）や交通手段の発達などにより、人やもの、情報が世界中を移動できるようになりました。

8 ④ ①③④の仏教、キリスト教、イスラム教が世界3大宗教と呼ばれます。イスラム教は本来、平和的な宗教で、1日5回、聖地メッカに向かって祈ることでも知られます。しかし近年、過激な思想を持つ一部の人々によるとみられるテロが世界各地で起きています。

■ 主な年中行事と食べ物
（地域によって異なる場合があります）

日本には、毎年決まった時期にある催し（年中行事）で食べる習慣になっている料理やお菓子などがあります。大事にしたい文化の一つです。

節分に食べる恵方巻き

1月	お正月（おせち料理、雑煮）
	鏡開き（おしるこ）
2月	節分（恵方巻き）
3月	ひな祭り（ひなあられ）
	春の彼岸（ぼた餅）
5月	こどもの日（かしわ餅、ちまき）
7月	七夕（そうめん）
9月	十五夜（月見団子）
	秋の彼岸（おはぎ）
11月	七五三（千歳あめ）
12月	冬至（カボチャ）
	大みそか（年越しそば）

七五三の千歳あめ

ニュース時事能力検定

検定問題に挑戦してみよう

第61回ニュース時事能力検定（2023年6月実施）で実際に出題した5級の問題を掲載します。検定時間は50分間で、合格の目安は70点程度です。実際のマークシートもこの本の末尾（87ページ）に載せました。マークシートの書き方（86ページ）を参考に、本番に備えて練習してみましょう。

2023年6月　［第61回ニュース時事能力検定］

検 定 問 題

［実施級・ 5 級］

～注 意 事 項～

受検番号は10ケタの数字を正しく記入・マークしてください。
「0」と「1」のマークミスにご注意ください。

① 検定監督者から開始の合図があるまで、問題冊子を開かないでください。

② 検定時間は開始の合図から50分間です。

③ 問題は45問、答えはすべて四肢択一式です。設問の答えとして適切なものを一つ選び、解答用紙の番号を塗りつぶしてください。筆記用具はHBかBの黒鉛筆・シャープペンシル、消しゴムをお使いください。

④ 問題冊子か解答用紙に落丁・乱丁・印刷不鮮明などがある場合は手を挙げてください。

⑤ 携帯電話などの電子機器は必ず電源を切ってください。時計がわりに使うことも禁止します。

⑥ 不正行為をした場合や、他の受検者に迷惑をかける行為があった場合は、答案は無効となります。

⑦ 検定問題をSNS（ツイッターなど）等を通じて第三者に開示・提供したことが発覚した場合、答案が無効となることがあります。

⑧ 結果通知は2023年8月上旬ごろお送りします（団体受検の場合は、原則団体担当者より受け取ってください）。期日までに届かない場合は、2023年9月上旬までに受検サポートセンター（03-5209-0553、平日10～17時）もしくは団体担当者までお問い合わせください。

⑨ 検定問題の内容などに関するご質問には一切お答えできません。検定問題中の表記は人名・国名などを含め、ニュース検定の2023年度版「公式テキスト＆問題集　入門編」に準じています。
今回の検定は2023年5月上旬までのニュース・情報に基づいています。

団体（学校）名		年　　組
受 検 番 号		
氏　　名		

主催：NPO法人　日本ニュース時事能力検定協会ほか

問1 日本の内閣総理大臣（首相）や、アメリカ、フランスの大統領らによる「主要７カ国首脳会議（Ｇ７サミット）」が2023年５月、広島県で開かれました。広島県にある【　　　】は、第二次世界大戦中に核兵器（原子爆弾）で破壊され、被害のすさまじさや平和の大切さを今に伝える建物です。【　　　】に当てはまる名前を、①〜④から一つ選びなさい。

① 首里城
② 厳島神社
③ 太陽の塔
④ 原爆ドーム

世界遺産（文化遺産）にも登録されている【　　】（手前）。Ｇ７サミットに参加する各国のリーダーが奥の慰霊碑に参拝している＝2023年５月

問2 元車いすテニス選手の国枝慎吾さんが2023年３月、国民栄誉賞を受けました。障害のある人たちがさまざまな競技で競い合う国際スポーツ大会、【　　　】で金メダルを取るなど活躍し、障害者スポーツが広く知られるようになるのに貢献したためです。【　　　】に当てはまる言葉を、①〜④から一つ選びなさい。

東京大会の車いすテニス男子シングルスで優勝した国枝さん＝2021年９月

① パラリンピック　　② オリンピック（五輪）
③ 名人戦　　　　　④ ワールドカップ（W杯）

★次の文章を読んで、問3、4に答えなさい。

「(ア) 空飛ぶクルマ」のテスト飛行が2023年3月、【　　】城公園でありました。パイロットが乗り込んで屋外を飛ぶのは、これが国内初といいます。機体は、アメリカの会社が開発した「ヘクサ」（全長4.5メートル、高さ2.4メートル、重さ221キログラム）を使いました。1人乗りで、最高時速は約100キロメートルになります。

2025年に開かれる予定の【　　】・関西国際博覧会（万博）では、空飛ぶクルマに誰でも乗れるようにする計画です。

【　　】城を背景に舞い上がる「空飛ぶクルマ」＝2023年3月

問3　下線部（ア）に関連して、人間は歴史上、いろいろな乗り物を開発して便利に移動できるようになりました。こうした乗り物について、正しい説明を①〜④から一つ選びなさい。

① 磁石の性質を利用して走る「リニア中央新幹線」は、既に日本で開業している。
② 人間が宇宙船に乗って月まで行ったことはない。
③ コンピューターなどを活用し、人間がハンドルやブレーキ、アクセルに触れなくても目的地まで走れる自動車は普通、「エコカー」と呼ばれる。
④ 世界で初めてエンジン付きの飛行機で空を飛んだのはライト兄弟だ。

問4　文中の【　　】（2カ所）には、2025年に万博が開かれる、関西地方の都市の名前が当てはまります。正しい都市名を①〜④から一つ選びなさい。

① 盛岡　　　② 名古屋　　　③ 大阪　　　④ 横浜

問5　群馬県や長野県などの標高の高い土地では、夏でも涼しい気候を生かした野菜作りが盛んです。こうした野菜の例に当てはまらないものを、①〜④から一つ選びなさい。

① レタス　　　② キャベツ　　　③ ハクサイ　　　④ ゴーヤー（ニガウリ）

問6 次の地図の丸印は「リアス（式）海岸」の例です。リアス（式）海岸について、正しい説明を①～④から一つ選びなさい。

丸印は三陸海岸の南部

岩手県

宮城県

① 砂丘が広がっている。
② 漁場には適していない。
③ 小石や砂がたい積してできた。
④ 多くの狭い湾が入り組んでいる。

問7 次の①～④は動植物や化石燃料で、[ ] の中にはそれをさらに分類した時の名前が並んでいます。分類の仕方がほかの三つと異なるものを、一つ選びなさい。

① コメ　　[コシヒカリ、あきたこまち、ひとめぼれ、ササニシキ]
② イチゴ　[とちおとめ、さがほのか、あまおう、紅ほっぺ]
③ 石油　　[軽油、灯油、ナフサ、LPガス]
④ イヌ　　[チワワ、プードル、ダックスフント、ゴールデンレトリバー]

問8 関東地方の南部から九州地方の北部にかけて、主に【　A　】側の海沿いに工業地帯・地域が帯のように並んでいます。これを「【　A　】ベルト地帯」といいます。このうち生産額が最も高いのは、【　B　】工業地帯です。【　A　】（2カ所）、【　B　】に当てはまる言葉の正しい組み合わせを、①～④から一つ選びなさい。

① A－太平洋　　B－中京　　　② A－太平洋　　B－北九州
③ A－日本海　　B－中京　　　④ A－日本海　　B－北九州

問9 焼き物や織物・染め物といった工芸品を作る「伝統工芸」が、日本各地に伝わっています。こうした伝統工芸は一般に、どのような特徴がありますか。正しい説明を①～④から一つ選びなさい。

① 特別な訓練を受けていない人でも、質の高い工芸品を簡単に作れる。
② 最先端の機械を使って、一度にたくさんの工芸品を作れる。
③ 昔から伝わる技術を使って、主に手作りで工芸品を作る。
④ 職人（作り手）になりたい若者が増えすぎて問題になっている。

問10 私たちが日ごろ買っている「商品」は、大きく「物資」と「サービス」に分けられます。このうち、サービスの例として正しいものを、①～④から一つ選びなさい。

① 衣料品　　　② 自動車　　　③ 交通　　　④ 電気製品

問11 東京都内に住むレンさんは最近、街中で見かける外国人が増えたことに興味を持ち、外国人観光客に関するデータを調べて気がついたことなどをメモにしました。次のグラフとメモ（囲み）は、そのうちの一部です。【 A 】【 B 】に当てはまる言葉の正しい組み合わせを、①〜④から一つ選びなさい。

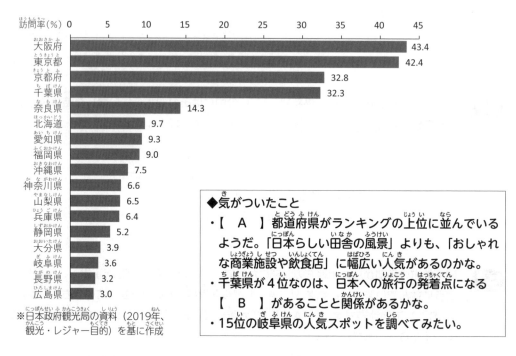

都道府県別訪問率ランキング

訪問率(%)

都道府県	訪問率
大阪府	43.4
東京都	42.4
京都府	32.8
千葉県	32.3
奈良県	14.3
北海道	9.7
愛知県	9.3
福岡県	9.0
沖縄県	7.5
神奈川県	6.6
山梨県	6.5
兵庫県	6.4
静岡県	5.2
大分県	3.9
岐阜県	3.6
長野県	3.2
広島県	3.0

※日本政府観光局の資料（2019年、観光・レジャー目的）を基に作成

◆気がついたこと
・【 A 】都道府県がランキングの上位に並んでいるようだ。「日本らしい田舎の風景」よりも、「おしゃれな商業施設や飲食店」に幅広い人気があるのかな。
・千葉県が4位なのは、日本への旅行の発着点になる【 B 】があることと関係があるかな。
・15位の岐阜県の人気スポットを調べてみたい。

① A－大都市がある　　　B－成田国際空港
② A－人口の少ない　　　B－新幹線の駅
③ A－南の島にある　　　B－成田国際空港
④ A－寒冷地にある　　　B－新幹線の駅

問12 次のA〜Dは、中国、フィリピン、アメリカ、ブラジルのいずれかに関する説明です（それぞれの国はA〜Dのどれか一つに当てはまります）。このうち、Aはどの国ですか。正しいものを①〜④から一つ選びなさい。

A：日本にとって、コーヒー豆の最大の輸入元だ。
B：日本にとって、バナナの最大の輸入元だ。
C：日本にとって、自動車の最大の輸出先だ。
D：日本にとって、プラスチックや鉄鋼の最大の輸出先だ。

①　中国　　　②　アメリカ　　　③　ブラジル　　　④　フィリピン

★高校生のハルカさんとリンさんが街を歩きながら話しています。2人の次の会話を読んで、問13〜15に答えなさい。

ハルカ：天気予報では今週ずっと雨だと言ってた。嫌だなあ。

リ　ン：日本には【　A　】があるから仕方ないよ。あれ？　傘は持ってこなかったの？

ハルカ：だって、邪魔なんだもん。「もし雨に降られたら、ビニール傘を買えばいいかなあ」と思って。

リ　ン：でも……知ってる？　日本でビニール傘は1年間におよそ8000万本も消費されてるみたいだよ。

ハルカ：8000万本⁉　人口の半数以上が毎年ビニール傘を買っている計算になるよね。それだけたくさん捨てられているのかな。

リ　ン：ビニールは (ア)石油が原料だし、骨組みは金属だったりして分解しにくいから、【　B　】するのは難しいんだって。
傘を使い捨てにするのは環境に良くないよね。

台風の後、路上に捨てられた、壊れたビニール傘

ハルカ：私も雨の確率が高い日は傘を持って出かけるようにしよう！　ただ、突然の雨に遭ったり、傘を置き忘れてしまったりして、急に傘が必要になることもあるよ。ビニール傘を次々に買う以外に良い方法はないかなあ。

リ　ン：大都市などでは最近、駅やその周りで傘のレンタルサービスを見かけるよ。安い値段で必要な人が使い回せるのは、すごく良い考えだね。

問13 会話文中の【　A　】には、「日本（北海道を除く）で春から夏へと季節が変わるころに、くもりや雨の日が多くなる時期」を表す言葉が当てはまります。正しい言葉を、①〜④から一つ選びなさい。

① 梅雨　　　　② 彼岸　　　　③ 秋雨　　　　④ 蟬時雨

問14 下線部（ア）の石油について誤っている説明を、①〜④から一つ選びなさい。

① 燃やすと二酸化炭素（CO₂）が出る。
② 発電の燃料として使われる。
③ 国内で使われる石油のほとんどは、北海道で採れる。
④ 加工するとガソリンやプラスチックなどを作れる。

問15 会話文中の【　B　】は、「使い終わったものを再生して原料や材料として利用する」ことです。例えば、飲み終わった牛乳の紙パックは、工場でトイレットペーパーなどに加工され、再び利用されます。【　B　】に当てはまる言葉を、①〜④から一つ選びなさい。

① ハイブリッド　　　② ボランティア　　　③ リサイクル　　　④ デポジット

問16 外国から輸入されるものには、輸入する側の国が普通、【　A　】をかけます。ただし、二つ以上の国々が貿易を盛んにするため、輸入品にかける【　A　】を互いに【　B　】取り決めを交わすケースも増えています。【　A　】(2カ所)、【　B　】に当てはまる言葉の正しい組み合わせを、①〜④から一つ選びなさい。

① A－関税　　　　B－引き上げる
② A－関税　　　　B－なくす
③ A－住民税　　　B－引き上げる
④ A－住民税　　　B－なくす

問17 次の写真は、【　　　】を利用して発電するための装置です。【　　　】に当てはまる言葉を、①〜④から一つ選びなさい。

① 太陽光
② 火力
③ 風力
④ 水力

問18 次のA〜Dは、「地域の商店街」「コンビニエンスストア(コンビニ)」「スーパーマーケット(スーパー)」「百貨店(デパート)」のいずれかについての一般的な説明です。このうちコンビニ、百貨店の説明として正しい組み合わせを、①〜④から一つ選びなさい。

A：多くの店が24時間営業し、弁当や飲み物、日用品をそろえている。客がコピー機を使ったり宅配便を出したりできる店もある。
B：食料品から日用雑貨、衣類まで商品の種類が多い。新聞チラシなどで安売りを宣伝することもある。大型店は広い駐車場を備えている。
C：大きな都市の中心部などにある。大きなビルの中に服などさまざまな商品の売り場があり、店員が接客する場合が多い。高価なブランド品もある。地下に食料品売り場がある場合が多い。
D：八百屋や魚屋など主に個人経営の店が集まる。昔ながらの店も多く、地域に根ざしている。

① コンビニ－A　　　百貨店－B
② コンビニ－A　　　百貨店－C
③ コンビニ－B　　　百貨店－A
④ コンビニ－C　　　百貨店－D

問19 会社などに勤める人は、働く見返りに【　A　】を受け取って暮らしています。働く人の【　B　】を守るため、労働時間や休日などについて会社が守るべきルールが法律で定められています。【　A　】【　B　】に当てはまる言葉の正しい組み合わせを、①〜④から一つ選びなさい。

① A－表彰状　　　B－義務　　　　② A－表彰状　　　B－権利
③ A－賃金　　　　B－義務　　　　④ A－賃金　　　　B－権利

問20 日本では、【　Ａ　】する時間が【　Ｂ　】、病気になったり自殺に追い込まれたりする人が後を絶たず、問題になってきました。【　Ａ　】【　Ｂ　】に当てはまる言葉の正しい組み合わせを、①～④から一つ選びなさい。

① Ａ－残業　　　Ｂ－短すぎて
② Ａ－旅行　　　Ｂ－短すぎて
③ Ａ－残業　　　Ｂ－長すぎて
④ Ａ－旅行　　　Ｂ－長すぎて

問21 介護福祉士は、お年寄りや障害のある人を介護する職業です。介護とはどのようなことをしますか。その例に当てはまらないものを、①～④から一つ選びなさい。

① 食事や入浴、トイレの手助けをする。
② 病気やけがを診察して、治療する。
③ 掃除や洗濯の手助けをする。
④ 病院に行く時に付き添う。

問22 村や町の人口がとても少なくなって、住民が暮らしにくくなる状態を「過疎」といいます。過疎地域の特徴の例に当てはまるものを、①～④から一つ選びなさい。

① 山村や離島に多くみられる。
② 小学校や中学校がどんどん新設される。
③ 伝統的な祭りが年々、盛んになる。
④ 働き盛りの若者が増えて、お年寄りの割合が低くなる。

問23 環境問題にはいろいろな種類があり、影響もさまざまです。環境問題の例として正しい説明を、①～④から一つ選びなさい。

① 森林が増えすぎて、人間がすむ場所が減る。
② 地球温暖化で海面が下がり、島国が海に沈む。
③ 航空機の騒音によって、海や川の水が汚れる。
④ 大気汚染によって酸性雨が降り、コンクリートなどを溶かす。

問24 ＳＮＳ（ネット交流サービス）の特徴の例に当てはまるものを、①～④から一つ選びなさい。

① ＳＮＳ上に載っている情報は、そのまま信じることができる。
② いったん広がった情報は、完全に消すことが難しい。
③ ＳＮＳを使うことで、現実の犯罪に巻き込まれることはない。
④ 発信した情報を、自分の知らない人に見られることは決してない。

★次の文章を読んで問25〜27に答えなさい。

(ア) 富士山＝写真＝の噴火に備えて山梨県、静岡県、神奈川県などが2014年に作った避難計画が2023年3月、全面的に見直されました。避難の対象になるのは、3県で噴火の被害が見込まれる地域に住む約79万人と、観光客などです。計画では、(イ) お年寄りや障害のある人など、避難するのに支援が必要な人（要支援者）と、それ以外の人たちがいつ、どのように逃げるのかが示されています。

心配されるのは、逃げ遅れた人が噴火の被害に遭うことです。そこで、3県などは「逃げ遅れゼロ」を目指し、噴火する前から早めの避難を呼びかけます。また、皆が車で一斉に避難して渋滞が起きるのを避けるため、噴火で流れ出る「溶岩流」が3時間以内に到達する地域では、要支援者以外は徒歩で避難する、としています。

富士山は活火山の一つです。確認できる過去5600年の間に、小・中規模なものも含めて約180回噴火しています。最後に起きた1707年の噴火では、2週間にわたり爆発的な噴火が続き、100キロメートル離れた江戸（現在の東京）にも大量の火山灰が降り積もりました。

問25 下線部（ア）の富士山は、次の地図のどこにありますか。正しいものを①〜④から一つ選びなさい。

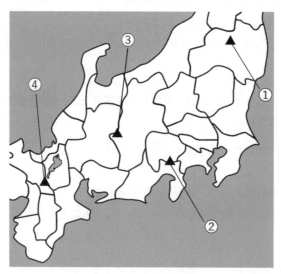

問26 下線部（イ）のお年寄り（65歳以上の人）について、次のA、Bはそれぞれ正しい説明ですか、それとも誤っている説明ですか。正誤の正しい組み合わせを、①～④から一つ選びなさい。

A：人口に占めるお年寄りの割合が高まることを「高齢化」という。
B：お年寄りが仕事をして収入を得ることは、法律で禁止されている。

① A－正しい　　　　B－正しい
② A－正しい　　　　B－誤っている
③ A－誤っている　　B－正しい
④ A－誤っている　　B－誤っている

問27 左ページの文章から読み取れることとして正しいものを、①～④から一つ選びなさい。
① 富士山は噴火する可能性のある火山だ。
② 2023年に初めて、富士山の噴火に備えた避難計画が作られた。
③ 溶岩流が3時間以内に到達する地域では、全員が徒歩で避難することになった。
④ 最後に富士山が噴火したのは、5600年前だ。

問28 コンビニエンスストアなどで提供されるプラスチック製のスプーンやフォークは、以前は左の写真のようなものでしたが、最近は右の写真のようなものもよく見かけます。そのように変わった理由の例に当てはまるものを、①～④から一つ選びなさい。

① 使われるプラスチックの量をできるだけ減らすため。
② 手に汗をかいても持ちやすくするため。
③ 折りたたんで持ち運ぶため。
④ 壊れにくくするため。

問29 かつて日本の経済が急速に盛んになっていたころ、「四大公害病」が大きな問題になりました。四大公害病に含まれるものを、①～④から一つ選びなさい。

① 結核　　　　② はしか　　　　③ 熱中症　　　　④ イタイイタイ病

問30 次の①～④は、日本の主な年中行事です。1月から時期の早い順に並べた時、4番目（最後）にくるものを一つ選びなさい。

① こどもの日

② ひな祭り

③ 節分

④ 七夕

問31 第二次世界大戦後の日本で、最も大きな被害をもたらした地震は東日本大震災（2011年）、2番目は阪神大震災（1995年）です。東日本大震災では大津波が押し寄せ、特に【　A　】地方で多くの人が亡くなりました。阪神大震災は【　B　】県を中心に大きな被害をもたらしました。【　A　】【　B　】に当てはまる地方名と県名の正しい組み合わせを、①～④から一つ選びなさい。

① Ａ－四国　　Ｂ－兵庫
② Ａ－東北　　Ｂ－兵庫
③ Ａ－四国　　Ｂ－熊本
④ Ａ－東北　　Ｂ－熊本

問32 新型コロナウイルス感染症のように、ウイルスに感染することで発症するものを、①～④から一つ選びなさい。

① インフルエンザ　　② 花粉症　　③ 熱中症　　④ 水俣病

問33 新型コロナウイルスの感染拡大後、「テレワーク」を導入する会社が増えました。テレワークとは、インターネットやパソコンなどの情報通信技術（ICT）を活用して【　A　】などで仕事をする働き方のことで、【　B　】ともいいます。【　A　】【　B　】に当てはまる言葉の正しい組み合わせを、①～④から一つ選びなさい。

① A－自宅　　B－リモートワーク　　② A－自宅　　B－ライフワーク
③ A－会社　　B－ネットワーク　　④ A－会社　　B－ハードワーク

問34 次の写真は記者会見の様子です。左側の女性は、右側の男性の話す内容を【　　　】で伝えています。【　　　】に当てはまる言葉を①～④から一つ選びなさい。

① 点字
② 手話
③ 字幕
④ やさしい日本語

新型コロナウイルス対策で、マスクを着けている男性と、口元が見える透明の「マウスシールド」を着けている女性＝2020年9月

問35 日本では最近、人工知能（AI）の技術などを活用した「スマート農業」が注目されています。「スマート農業」の例に当てはまらないものを、①～④から一つ選びなさい。

① 農作業の経験や勘を頼りに、果物の収穫時期を決める。
② ドローン（無人航空機）で、イネの育ち具合などを上空から確認する。
③ 自動運転の無人トラクターを使って、その土地に適した肥料をまく。
④ スマートフォンのアプリに農作業の内容を記録し、費用などを計算する。

問36 次の図は、国の三つの働きを別々の機関が担当し、互いにチェックする仕組み（三権分立）を示しています。「法律が日本国憲法に違反していないか調べる」ことは、どの矢印に当てはまりますか。正しいものを①～④から一つ選びなさい。

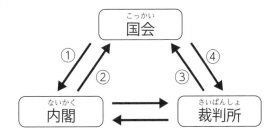

問37 日本で「内閣」と同じ意味で使われることがある言葉を、①～④から一つ選びなさい。

① 大統領
② 県議会
③ 市議会
④ 政府

問38 消費税の税率は現在10％ですが、食料品は、生活に欠かせないため、外食を除けば税率がこれより【　A　】なっています（外食は10％）。例えば、次のイラストのようなピザを買う時、「持ち帰り」にしてもらうのと、「店内」で食べるのとでは消費税率が違うため、【　B　】のほうがやや少ないお金で買えます。【　A　】【　B　】に当てはまる言葉の正しい組み合わせを、①～④から一つ選びなさい。

① A－低く　　B－持ち帰り
② A－低く　　B－店内
③ A－高く　　B－持ち帰り
④ A－高く　　B－店内

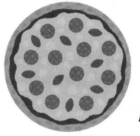

PIZZA
1000円＋消費税

問39 日本国憲法には「国民主権」「基本的人権の尊重」「平和主義」という三つの基本原理（原則）があります。このうち「国民主権」について正しい説明を、①～④から一つ選びなさい。

① 二度と戦争をせず、世界の平和を求めていく。
② 国民は誰でも、仕事に就いて働く権利と義務がある。
③ 誰もが生まれながらにして持つ権利を、大切にする。
④ 日本の政治のあり方を最終的に決める権限は、国民にある。

問40 日本では、国会議員を選ぶ選挙などで、特に【　　　　】の投票率が低いことが問題とされています。【　　　　】に当てはまる言葉を、①～④から一つ選びなさい。

① サラリーマン
② 農家の人
③ お年寄り
④ 若い人

問41 日本の国会は【　　　】という二つの議院からなります。二つの議院でそれぞれ話し合うことによって、国の政治の方針を慎重に決めることができます。【　　　】に当てはまる議院名を、①〜④から一つ選びなさい。

① 第一院と第二院　　　② 衆議院と参議院

③ 衆議院と貴族院　　　④ 下院と上院

問42 16歳の若者にできる政治参加の例として、<u>誤っているもの</u>を①〜④から一つ選びなさい。

① スケートボードの練習場を作ってほしいと、地元の市長に手紙を書く。
② 衆議院議員選挙で1票を投じる。
③ 環境保護を訴えるためのデモに参加する。
④ 学校へのエアコン設置を求める署名活動に賛同し、署名する。

問43 ウクライナにロシアが軍隊を送り込んで攻撃を始めてから1年以上がたちました。ウクライナについて正しい説明を、①〜④から一つ選びなさい。

① 日本の領土である北方領土＝地図＝を現在も占拠している。
② 世界で最も面積が大きい国だ。
③ 一年中暖かく、雪が降ることはない。
④ ロシアの隣に位置する国だ。

問44 次のA〜Cが全て当てはまる国を、①〜④から一つ選びなさい。

A：「ハングル」という文字が使われている。
B：冬に備え、大量のキムチを一度に漬け込む風習がある。
C：「チマ・チョゴリ」と呼ばれる伝統的な民族衣装がある。

① 中国　　　　　　　　② 韓国

③ シンガポール　　　　④ オーストラリア

問45 政治、経済、文化などさまざまな分野で国境を超えた交流が進み、地球全体が一つになりつつあることを何といいますか。正しい言葉を、①〜④から一つ選びなさい。

① グローバル化　　② デジタル化　　③ 砂漠化　　④ 民主化

*配点は▽正解番号の上に★がついている問題（10問）＝各3点▽その他の問題（35問）＝各2点――です。
*今回出題した全45問のうち約6割は、**2023年度版「公式テキスト＆問題集　入門編」を基にした問題**です（詳しくはテキストの「この本の仕組みと使い方」や公式サイトの「出題範囲」をご覧ください）。これらの問題の解説の末尾には、対応するページを【●㌻】として示しています。
*1問（大問1問の場合もあります）を取り上げて、問題に込めた意図や思いを記した「出題のねらい」を末尾に掲載しています。

問題	正解	解　説
1	④	原子爆弾（原爆）の被害を象徴する原爆ドームは、1945年8月6日、アメリカ軍の原爆で一帯とともに破壊されました。①同じく大戦中に破壊された沖縄県の城、②世界遺産（文化遺産）に登録されている広島県の神社、③1970年の国際博覧会（万博）時に造られた大阪府の建造物です。
2	①	パラリンピックは「もう一つのオリンピック」と位置づけられ、五輪（②）と同じ年に同じ都市で開かれます。次の夏季大会は、2024年にフランスのパリで開かれます。③伝統ある将棋タイトル戦です。2023年6月に藤井聡太さんが勝ち、史上最年少の名人になりました。④サッカーの国際大会です。
3	④	1903年に成功しました。①開業していません。東京、名古屋、大阪を結ぶ計画ですが、工事は遅れています。②アメリカの宇宙飛行士が1968〜72年に到達しました（アポロ計画）。計6度着陸にも成功しましたが、その後は月まで行った人はいません。③エコカーではなく「自動運転車」です。
4	★③	万博が開かれるのは大阪市の人工島・夢洲（ゆめしま）で、ちなみに関西地方の都市は③のみで、①は東北地方、②は中部地方、④は関東地方――の都市です。万博は世界各国の文化や科学技術などを広めるための博覧会で、1851年に初めてイギリスのロンドンで開かれました。
5	④	ゴーヤーは主に沖縄県など暖かい地域で栽培されます。①〜③例えば群馬県の嬬恋（つまごい）村や長野県の野辺山（のべやま）高原などは夏でも涼しいため、他の地域なら普通は秋や冬に収穫する野菜を、夏に出荷できます。出荷時期をずらすと普通の時期より高く売れます。【14㌻】
6	④	リアス（式）海岸の湾内は波が穏やかで、魚介類などを人工的に育てて出荷する養殖漁業が盛んです。「リアス」はスペイン語の「リア」（「入り江」や「湾」という意味）から生まれた言葉です。地図中の三陸海岸のほか、三重県の志摩（しま）半島周辺が代表例です。【11、13㌻】
7	③	③は成分の違い、①②④は銘柄・品種による分類です。石油（原油）は沸騰する温度の違いで取り出せる成分が変わり、軽油やナフサなど違う製品ができます。ものの分類にはさまざまな方法があり、目的によって適切な分類方法が変わります。それぞれの相違点に注意してみましょう。
8	①	A：日本の工業地帯・地域の多くは、太平洋・瀬戸内海沿いにあります。石油などの輸入、工業製品などの輸出に必要な港湾を造りやすいため、この地帯で発展しました。B：中京工業地帯の工業生産額は日本一で、自動車工業を中心とする機械工業が盛んです。【15、17㌻】
9	★③	それぞれの地域に古くから伝わる技術を使い、主に手作りで焼き物などを作ります（②）。普通、職人になるには長い修業が必要なため（①）、なり手は多くなく、全体的には、技術を受け継ぐ後継者が少ないという課題を抱えています（④）。【15、17㌻】
10	③	「サービス」とは、商品のうち形がないものをいいます。代表例は、交通（運賃を取って人を運ぶ鉄道・バスなど）、通信（通話料などを取って会話ができるようにする電話など）、教育、医療――などです。①②④は物資に当たります。【25、26㌻】
11	①	A：上位には大都市がある大阪、東京と、その周辺の京都、千葉が並んでいます。B：成田国際空港は、国際線の飛行機の着陸回数が他よりずっと多いです。ちなみに、レンさんのメモにある岐阜県の観光地には、合掌（がっしょう）造りで有名な白川郷（しらかわごう）などがあります。
12	③	温暖なブラジルは農業が盛んで、コーヒー豆の生産量は世界一です。B：フィリピンです。C：アメリカです。日本の自動車輸出額の33％をアメリカが占めます。次に多いのがオーストラリアですが9％にとどまります（いずれも2021年）。D：中国です。【19、21㌻】
13	★①	梅雨に雨が多いのは、日本の上空にとどまる「梅雨（ばいう）前線」の影響です。夏が近づくと前線が北へ押し上げられ、梅雨は終わります。②春分の日と秋分の日を中日とする各7日間、③秋の長雨です。④「真夏にセミが一斉に鳴くさま」です。傘はいりません。
14	③	事実ではありません。国内ではわずかな量しか産出せず、99％以上を、サウジアラビアなど中東地域をはじめとする外国から輸入しています。②ほかに自動車やジェット機の燃料にも使われます。④石油を原料とする石油化学製品にはプラスチックや繊維などがあり、生活に欠かせません。
15	★③	使用済みのペットボトルは、食品トレーなどのプラスチック製品や、衣類用の繊維などに生まれ変わります。ちなみに、ごみを減らす「リデュース」、繰り返し使う「リユース」も資源を大切にする方法の例です。これら三つは、まとめて「3R」と呼ばれます。【35㌻】
16	②	関税は「安い輸入品が出回って国産品が売れなくなるのを防ぐ」などの目的でかけます。輸出先で関税がかかると商品の値段は上がり、売れにくくなるため、普通は輸出量が減ります。そこで貿易を盛んにして互いの経済を活発にするため、関税をなくすことがあります。【18、21㌻】
17	③	風力発電は、風の力で風車を回し、風車の回転運動を発電機に伝えて電気を起こします。昼でも夜でも風が吹いていれば発電できるメリットがあります。一方、風車による騒音や景観への影響や、鳥がぶつかったり近くのすみかを失ったりする問題が指摘されることもあります。【23㌻】
18	★②	コンビニは「24時間営業」「コピー機」といった言葉が手掛かりになります。百貨店の手掛かりは「大きな都市の中心部」「高価なブランド品」（「地下に食料品売り場」（「デパ地下」などと呼ばれて人気）です。Bはスーパー、Dは地域の商店街の説明です。【26㌻】
19	④	多くの人は働くことで賃金（給料）を得て、生活します。雇われる側は雇う側よりも弱い立場なので、労働時間や休日などで不利なことを強いられかねません。そのため、会社が守るべきルールや、雇われる人々が雇い主に要求を出す権利などが法律で定められています。【28、29㌻】
20	③	例えば、従業員を働かせる時間は1日8時間を超えてはいけないと法律で決まっています。例外として、それを超えて働くことを「残業」といいます。働きすぎを防ぐため、1年間の残業時間の上限を決めて、働く時間を制限する法律が2018年に成立しました。【28、29㌻】
21	★②	これは「介護」ではなく「医療」、つまり医師の仕事です。介護とは、お年寄りや障害のある人が日常生活を送る手助けをすることです。介護福祉士は、お年寄りの自宅や、老人ホームなどの施設で介護の仕事をします。介護福祉士になるには、国家試験に合格する必要があります。【30㌻】
22	★①	日本では3大都市圏（東京圏、大阪圏、名古屋圏）に人口が集中する一方、地方で過疎化が進んでいます。②〜④子どもや若者が減る（半面、お年寄りの割合は高くなる）ため学校が統合・廃止されたり、地域の伝統的な祭りや行事を守り続けるのが難しくなったりします。【31、33㌻】

問題	正解	解　説
23	④	工場の煙や自動車の排ガスに含まれる物質（硫黄酸化物や窒素酸化物）が、酸性雨の原因です。①森林が「減る」ことが、問題になっています。②「下がり」ではなく「上がり」です。③海や川の水が汚れるのは、家庭や工場から出る排水などが原因です。【34、36ｼﾞ】
24	②	自分が消しても、コピーされた情報がネット上でさらに拡散される恐れもあります。①デマ（偽情報）も多く、そのまま信じては危険です。③例えば他人に対して「死ね」などと何度も書き込むと、罪に問われる可能性があります。④設定などによっては見られる可能性があります。【47ｼﾞ】
25	②	富士山は、山梨県と静岡県にまたがる山です。信仰の対象や芸術作品の題材となり、大きな影響を与えてきたことから世界遺産（文化遺産）に登録されています。①磐梯山（ばんだいさん、福島県）、③御嶽山（おんたけさん、長野県、岐阜県）、④比叡山（ひえいざん、滋賀県、京都府）です。
26	②	A：人口に占めるお年寄りの割合は「高齢化率」といいます。日本の高齢化率は上がっており、約4人に1人がお年寄りです。B：事実ではありません。寿命が延びて、年をとっても働くことを望む人や働く必要のある人が増えているため、国は働きやすい環境を作ろうとしています。
27	①	噴火に備えた避難計画が作られていることや「活火山」という説明から噴火する可能性があると分かります。②最初の文章に「2014年に作った」とあります。③「要支援者以外」です。④最後の段落に、1707（今から316年前）と書いてあります。5600年前から約180回噴火しています。
28	①	プラスチックの使用量を減らすため、右の写真のように持ち手の一部を空洞にしたり、木製や紙製に切り替えたりする店が増えました。2022年に施行された法律で、こうした努力が求められるためです。プラスチックは自然に分解されにくく、海を汚すことが問題になっています。
29	④	鉱山の排水に含まれていた物質、カドミウムが原因で、骨がもろくなり、症状が重くなるとせきをしても骨折してしまう病気です。患者が「痛い、痛い」と訴えることから病名がついたとされます。その他の四大公害病は、水俣病、新潟水俣病、四日市ぜんそくの三つです。【34、35ｼﾞ】
30	④	③節分（2月）→②ひな祭り（3月）→①こどもの日（5月）→④七夕（7月。地域によっては8月）です。七夕は、3月3日の桃の節句（②）、5月5日の端午（たんご）の節句（①）などと並ぶ節句（季節の区切り）の一つです。願いごとを書いた短冊などをササに飾る習わしがあります。
31	②	A：太平洋側の岩手、宮城、福島の3県が特に被害を受けました。津波により東京電力福島第1原子力発電所で事故を起こし、震災とこの事故による死者（震災関連死を含む）・行方不明者は2万2000人を超えます。B：兵庫県などで死者・行方不明者6437人を出しました。【37、38ｼﾞ】
32	★ ①	インフルエンザウイルスによって起きる急性の感染症です。②スギなど植物の花粉によるアレルギーです。③暑さで体内の水分や塩分のバランスが崩れ、体温を調節する機能が下がって起きる体の不調のことです。④四大公害病の一つで、工場排水中のメチル水銀が原因です。【41ｼﾞ】
33	★ ①	テレワーク／リモートワークは「tele／remote」（遠く離れた）と「work」（働く）を組み合わせた造語で、ICTを活用して本来の職場以外の場所で働くことです。場所にとらわれずに働けるので、仕事と育児などの両立がしやすくなるといった効果も期待されます。【40、41ｼﾞ】
34	②	「手話通訳」といわれ、手話で言葉を伝えます。新型コロナウイルスの感染拡大後、マスクを着ける人が増えたことで、耳が不自由な人は話し手の口の動きから言葉を読み取れず、話の内容の理解がますます難しくなりました。そこで、手話通訳が求められることが増えました。【43ｼﾞ】
35	①	ロボットやIT（情報技術）、AIなどの最新技術を活用する「スマート農業」は、農業の省力化や効率化とともに、農家の減少や高齢化による労働力不足の解決策として注目されています。各メーカーも、ドローンや無人トラクターなどの開発を進めています。【47ｼﾞ】

問題	正解	解　説
36	③	国会は法律を作る「国の唯一の立法機関」です。その法律が、国の最高のルールである憲法に違反していないかをチェックするのが裁判所です。この権限を「違憲審査権（違憲立法審査権）」といいます。最終的な権限をもつ最高裁判所は「憲法の番人」と呼ばれます。【49、50ｼﾞ】
37	④	内閣は、内閣総理大臣（首相）と国務大臣からなります。国の行政機関のトップに立ち、国会が決めた予算や法律に従って行政を担います。「政府」という言葉は、この内閣と同じ意味で使われる場合がありますが、もう少し幅広く省庁（国の役所）の幹部まで含むこともあります。【50ｼﾞ】
38	①	外食と酒類を除く飲食料品などの消費税率は8％です（軽減税率といいます）。したがって、例えば税抜き1000円のピザを持ち帰りで買うと、1000円の8％＝80円の消費税を加えた1080円がかかりますが、店内で食べる場合は「外食」になるため消費税率は10％となり、1100円かかります。
39	④	日本ではかつて（大日本帝国憲法の時代）、政治のあり方を決める主権が国民にありませんでした。そして、戦争への道を突き進みました。政治の決定権は国民にあることを明記した国民主権をはじめ、日本国憲法の3大原理はこうしたことへの反省も踏まえています。【53ｼﾞ】
40	★ ④	例えば、2022年の参議院議員選挙の投票率（選挙区）は、40歳代から70歳代は50～60％台だったのに対し、10歳代、20歳代は30％台でした。若い人のほうが人口も少ないため、投票率が低いままだと、若い人の意見が政治に反映されにくくなりかねない、と心配されています。【55、56ｼﾞ】
41	②	衆議院と参議院は完全に対等ではなく、予算案の審議などで衆議院の考えを優先させる決まりがあります。衆議院議員の任期は4年と参議院議員（6年）より短く、衆議院には解散の制度があり、選挙を通じて国民の意見をきめ細かく反映できると考えられるためです。【55、56ｼﾞ】
42	②	選挙で投票する権利（選挙権）は、18歳以上の国民が持っています。しかし、政治参加とは選挙で投票することだけではありません。18歳以上にならなくても①③④のような方法で参加することは可能です。若いうちから望ましい社会のあり方を考え、実現に向けて行動することが大切です。
43	④	ウクライナはロシアの西隣にあり、ポーランド、ドイツなどのヨーロッパの国々とロシアの間に位置します。①②これはロシアの説明です。③例えば首都キーウの真冬の平均気温は氷点下で、札幌と同じくらいです。ロシアの攻撃で暖房が止まるなどして市民が大きな影響を受けました。
44	②	A：ハングルは15世紀に成立した文字です。B：家族や隣人が一緒に大量のキムチを漬ける風習は、分かち合いの精神に基づく「キムジャン文化」として知られ、2013年に国際連合教育科学文化機関（ユネスコ）の無形文化遺産に登録されました。C：女性用の民族衣装です。【58、59ｼﾞ】
45	①	IT（情報技術）や交通手段の発達により、人やもの、情報が国境を超えて盛んに行き来するようになったことをグローバル化といいます。一方で、感染症が世界的に広がりやすくなった背景にもなっています。この言葉のもとは、地球を意味する英単語「グローブ」です。【63ｼﾞ】

ピックアップ　　問42　　出題のねらい

「政治参加の例」に当てはまる三つの選択肢（①③④）は、実際に未成年の人たちが行い、社会に影響を与えた例です。政治は、身の回りの生活とつながっています。そして、安心で暮らしやすい社会を作るために意見を言ったり活動したりする権利は、子どもにもあります。「こども基本法」（2023年4月施行）でも保障されています。

選挙で投票するのも政治参加の大切な方法ですが、選挙権を得たばかりの人たちから「誰に投票したらいいか」「責任を持って選択できるか」分からないという声も聞きます。若者の投票率は低いです。あなたは、身の回りのどんなことを改善したいですか。その問題を一緒に考えてくれそうな人（議員）はいないでしょうか――そんな風に考えると、政治や選挙が少し身近になっていくかもしれません。

この解説の各問の末尾に書かれた参照ページは、この本（2024年度版）ではなく、2023年度版に基づいていますので、ご注意ください。

「18歳」で「成人」に

　これまで「20歳」だった大人と子どもの境界線が、2022年4月から「18歳」に変わりました。明治時代の太政官布告で「20歳成人」が定められて以来、146年ぶりの引き下げです。大人になると、何ができるのでしょうか。一方で、どのような責任を持つことになるのでしょうか。

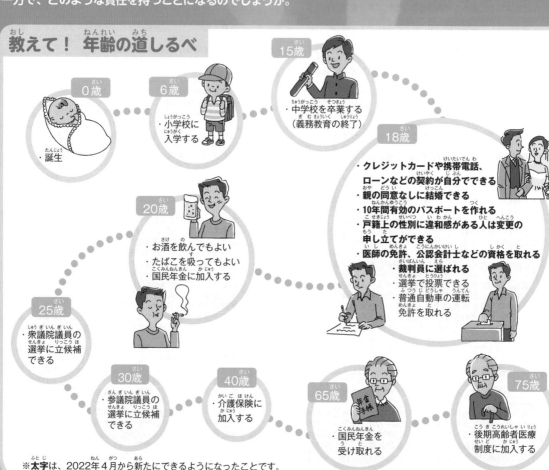

教えて！ 年齢の道しるべ

- **0歳**
  ・誕生

- **6歳**
  ・小学校に入学する

- **15歳**
  ・中学校を卒業する（義務教育の終了）

- **18歳**
  ・**クレジットカードや携帯電話、ローンなどの契約が自分でできる**
  ・**親の同意なしに結婚できる**
  ・**10年間有効のパスポートを作れる**
  ・**戸籍上の性別に違和感がある人は変更の申し立てができる**
  ・**医師の免許、公認会計士などの資格を取れる**
  ・**裁判員に選ばれる**
  ・選挙で投票できる
  ・普通自動車の運転免許を取れる

- **20歳**
  ・お酒を飲んでもよい
  ・たばこを吸ってもよい
  ・国民年金に加入する

- **25歳**
  ・衆議院議員の選挙に立候補できる

- **30歳**
  ・参議院議員の選挙に立候補できる

- **40歳**
  ・介護保険に加入する

- **65歳**
  ・国民年金を受け取れる

- **75歳**
  ・後期高齢者医療制度に加入する

※**太字**は、2022年4月から新たにできるようになったことです。

権利と共に責任も

　「18歳成人」への変更のきっかけは2007年、日本国憲法の改正への賛否を問う「国民投票」で投票できる年齢を「18歳以上」とする法律ができたことでした。2016年からは選挙で投票できる年齢も「18歳以上」となり、成人年齢を「18歳」とする法律（民法）が、2022年4月に効き目を持ちました。

　上のイラストを見てください。18歳でできることが増えましたね。一方、それには責任が伴います。罪を犯すなどした20歳未満の少年（男女）にはこれまで、少年法により、刑務所に入ったり罰金を払ったりすることで罪を償わせるより、再び罪を犯さないよう立ち直らせることが重視されてきました。しかし、「18歳成人」に合わせた法律の改正で、18、19歳については引き続き少年法の対象となるものの、20歳以上の人と同じ裁判を受ける機会が増えます。

成人年齢を20歳から18歳に引き下げる改正民法が成立した参議院の本会議＝2018年6月

新成人と消費者トラブル

　成人になっていない「未成年」の場合、親の同意を得ないで代金を払って商品を買うなどの「契約」をした場合は、原則として取り消すことができます。18、19歳は「成人」になったので、「高すぎる買い物だった」などと後で気づいても、基本的に取り消しはできません。

　下のグラフを見てください。成人（グラフの当時は20歳）になると急に消費者トラブルの相談件数が増えるこ

とがわかるでしょう。「大人になりたて」は、経験や知識が少なく、内容をよく理解しないまま契約してしまう傾向にあります。そうした若者を狙う悪質な業者もいます。

　今後、18、19歳は特に注意が必要です。軽い気持ちで契約したり、うまい話に飛びついたりしないようにしましょう。困った時は「消費者ホットライン」の番号１８８（いやや）に電話すると、近くの市町村の相談窓口につながります。

年齢層別の消費者トラブルの相談件数

- ■ 18、19歳（平均値）
- ■ 20〜24歳（平均値）

（件）

年度	
2017	
18	
19	
20	
21年度	

※全国の消費者からの相談を集めたデータベース（パイオネット）を基に作成。年齢層分の相談件数の合計を「18、19歳」は2で、「20〜24歳」は5で割り、平均値を出した。

若者に多い消費者トラブルの例

- ● 脱毛や二重まぶた手術などの美容医療サービスで、高額な契約をしてしまった
- ● 仮想通貨でもうかると言われてお金を預けたが、もうからない
- ● 健康食品、化粧品など1回だけの注文のつもりが「定期購入」だった
- ● 賃貸マンションから引っ越した後、高額な掃除代金を払うよう求められた
- ● 「仕事を紹介する」と言われ芸能事務所とお金を払って契約したが、番組出演の話がない

成人式に向かう新成人＝山形県で

成人式は「20歳」が主流

　市町村などが地域の若者の成人を祝って開く「成人式」はどうなっているでしょうか。

　法務省（国の役所）のとりまとめや新聞社の報道によると、成人年齢が18歳になってから18歳で成人式を行ったことがあるのは、三重県伊賀市、大分県国東市、宮崎県美郷町の3市町のみで、ほとんどは20歳を対象に行っています。大半の人は高校に在学中で、多くの市町村が式を行う1月の「成人の日」は大学受験シーズンに当たることなどが理由に挙げられています。

結婚 男女共に18歳から

　これまでは、結婚できる年齢は、「女性が16歳以上、男性が18歳以上」と男女で差がありました。しかし男女平等の観点から、成人年齢を引き下げるのと一緒に、女性が結婚できる年齢も男性と同じ18歳以上に変わりました。

結婚式のブーケ

索引 《ニュース検定公式テキスト&問題集 5級》

マークシートってどう書くの？

5級は計45問を50分間で解くんだ。どの問題も四つの選択肢から一つだけ正解を選んでね。マークシートが配られたら、氏名や受検番号を忘れず記入しよう。

ニュース時事能力検定 解答用紙

受 検 級 ※
○○○○○
2 準 3 4 5
級 2 級 級 級

受 検 者 氏 名
カタカナ（姓）（名）
漢字

※受検級は、「問題冊子」の表紙に記載されている「級」と、同じであることを確認して記入してください。

受 検 番 号
「0」と「1」の塗り間違いにご注意ください

職 業
Ⓐ 小学1～3年生　Ⓜ 大学1年生
Ⓑ 小学4年生　Ⓝ 大学2年生
Ⓒ 小学5年生　Ⓞ 大学3年生
Ⓓ 小学6年生　Ⓟ 大学4年生
Ⓔ 中学1年生　Ⓠ 大学院生
Ⓕ 中学2年生　Ⓡ 会社員
Ⓖ 中学3年生　Ⓢ 公務員
Ⓗ 高校1年生　Ⓣ 団体職員
Ⓘ 高校2年生　Ⓤ 自営業
Ⓙ 高校3年生　Ⓥ アルバイト
Ⓚ 高校4年生　Ⓦ 無職
Ⓛ 短大・専門学校生　Ⓧ その他

解 答 欄
問1〜問45 ① ② ③ ④

※アンケートにご協力ください。
問1〜問10

学生・社会人記入欄
※職業が"A"〜"V"の場合のみ
※差し支えなければご記入ください
学校 勤務先名 学部・学科名

注意事項
1、記入にあたっては、HBまたはBの黒鉛筆（シャープペンシルも可）を使用すること。
2、マークは該当する項目の枠内全部ぬりつぶすこと。
3、誤ってマークしたときは、跡の残らないように消しゴムで消すこと。
4、解答欄は、各問題につき一つのみ解答すること。
5、この用紙は直接コンピューターで読み取りますので、絶対に折り曲げたり汚したりしないこと。
※これらの注意事項を守らない場合は、採点されない場合もありますのでご注意ください。

よい例 ●　悪い例 ◖ ☑ ◐ ○

※このマークシートは見本です。変更になる場合もあります。

マークシートは、HBやBの黒鉛筆か、シャープペンシルを使って、枠内全てをきれいに塗りつぶしてね。この「注意事項」もよく読んで！ 不十分だと採点されないことがあるよ。塗り直す場合は消しゴムできれいに消してね。

2024年度版ニュース検定公式テキスト＆問題集「時事力」入門編（5級対応）

編者：ニュース検定公式テキスト編集委員会
2024年4月30日 初版 第1刷発行

発行：株式会社毎日教育総合研究所
　　　〒100-0003　東京都千代田区一ツ橋1-1-1
　　　TEL：03-3212-1406（編集）

発売：毎日新聞出版株式会社
　　　〒102-0074　東京都千代田区九段南1-6-17
　　　TEL：03-6265-6941（営業）

監修：日本ニュース時事能力検定協会

株式会社朝日新聞社
〒104-8011　東京都中央区築地5-3-2

編集協力：株式会社毎日新聞社
写真提供：朝日新聞社　毎日新聞社
印刷・製本：株式会社リーブルテック

DTP・編集協力：アート工房／表紙イラスト：フクイヒロシ／デザイン：リーブルテック　宮嶋忠昭

ニュース時事能力検定 解答用紙

キリトリ線 ✂

受検級 ※

- ○ 2級
- ○ 準2級
- ○ 3級
- ○ 4級
- ○ 5級

級

受検者氏名

カタカナ (姓)
(名)

漢字 (姓)
(名)

※受検級は、「問題冊子」の表紙に記載されている「級」と、同じであることを確認して記入してください。

受検番号

「0」と「1」の塗り間違いにご注意ください

0	0	0	0	0	0	0	0
1	1	1	1	1	1	1	1
2	2	2	2	2	2	2	2
3	3	3	3	3	3	3	3
4	4	4	4	4	4	4	4
5	5	5	5	5	5	5	5
6	6	6	6	6	6	6	6
7	7	7	7	7	7	7	7
8	8	8	8	8	8	8	8
9	9	9	9	9	9	9	9

職業

- Ⓐ 小学1〜3年生
- Ⓑ 小学4年生
- Ⓒ 小学5年生
- Ⓓ 小学6年生
- Ⓔ 中学1年生
- Ⓕ 中学2年生
- Ⓖ 中学3年生
- Ⓗ 高校1年生
- Ⓘ 高校2年生
- Ⓙ 高校3年生
- Ⓚ 高校4年生
- Ⓛ 短大・専門学校生
- Ⓜ 大学1年生
- Ⓝ 大学2年生
- Ⓞ 大学3年生
- Ⓟ 大学4年生
- Ⓠ 大学院生
- Ⓡ 会社員
- Ⓢ 公務員
- Ⓣ 団体職員
- Ⓤ 自営業
- Ⓥ アルバイト
- Ⓦ 無職
- Ⓧ その他

学生・社会人記入欄
※職業が"Ⓐ〜Ⓥ"の場合のみ

学校・勤務先名
学部学科・部署名
※差し支えなければご記入ください

※アンケートにご協力ください。

問1	① ② ③ ④ ⑤	問6	① ② ③ ④ ⑤
問2	① ② ③ ④ ⑤	問7	① ② ③ ④ ⑤
問3	① ② ③ ④ ⑤	問8	① ② ③ ④ ⑤
問4	① ② ③ ④ ⑤	問9	① ② ③ ④ ⑤
問5	① ② ③ ④ ⑤	問10	① ② ③ ④ ⑤

解答欄

問1	① ② ③ ④	問16	① ② ③ ④	問31	① ② ③ ④
問2	① ② ③ ④	問17	① ② ③ ④	問32	① ② ③ ④
問3	① ② ③ ④	問18	① ② ③ ④	問33	① ② ③ ④
問4	① ② ③ ④	問19	① ② ③ ④	問34	① ② ③ ④
問5	① ② ③ ④	問20	① ② ③ ④	問35	① ② ③ ④
問6	① ② ③ ④	問21	① ② ③ ④	問36	① ② ③ ④
問7	① ② ③ ④	問22	① ② ③ ④	問37	① ② ③ ④
問8	① ② ③ ④	問23	① ② ③ ④	問38	① ② ③ ④
問9	① ② ③ ④	問24	① ② ③ ④	問39	① ② ③ ④
問10	① ② ③ ④	問25	① ② ③ ④	問40	① ② ③ ④
問11	① ② ③ ④	問26	① ② ③ ④	問41	① ② ③ ④
問12	① ② ③ ④	問27	① ② ③ ④	問42	① ② ③ ④
問13	① ② ③ ④	問28	① ② ③ ④	問43	① ② ③ ④
問14	① ② ③ ④	問29	① ② ③ ④	問44	① ② ③ ④
問15	① ② ③ ④	問30	① ② ③ ④	問45	① ② ③ ④

注意事項

1. 記入にあたっては、HBまたはBの黒鉛筆（シャープペンシルも可）を使用すること。
2. マークは該当する項目の枠内を全部ぬりつぶすこと。
3. 誤ってマークしたときは、跡の残らないように消しゴムで消すこと。
4. 解答欄は、各問題につき一つのみ解答すること。
5. この用紙は直接コンピューターで読み取りますので、絶対に折り曲げたり汚したりしないこと。
※ これらの注意事項を守らない場合は、採点されないこともありますのでご注意ください。

よい例 ● 悪い例 Ⓘ Ⓥ ◯